Arena-Taschenbuch
Band

D0254526

Auguste Lechner

Die Nibelungen

Glanzzeit und Untergang
eines mächtigen Volkes

Die Deutsche Bibliothek – CIP-Einheitsaufnahme

Lechner, Auguste:
Die Nibelungen: Glanzzeit u. Untergang e. mächtigen Volkes /
Auguste Lechner.
– 13. Auflage. – Würzburg, Arena, 1995
(Arena-Taschenbuch; Bd. 1319)
ISBN 3-401-01319-X
NE: GT

13. Auflage als Arena-Taschenbuch 1995
146. - 157. Tausend
Lizenzausgabe der Verlagsanstalt Tyrolia GmbH, Innsbruck
© by Verlagsanstalt Tyrolia GmbH, Innsbruck
Umschlagillustration: Erich Hölle
Gesamtherstellung: Westermann Druck Zwickau GmbH
ISSN 0518-4002
ISBN 3-401-01319-X

I *

Im großen Saal der Burg zu Xanten ging König Siegmund mit zornigen Schritten auf und ab. Sieglinde, die Königin, saß im Erker und hielt die Nadel mit dem goldenen Faden müßig in der Hand, indes der kostbare Gürtel, an dem sie gestickt hatte, unbeachtet auf dem Boden lag. Sie sah zu Siegfried hinüber, und ihr Gesicht war sehr bekümmert.

Siegfried stand an der Tür und blickte ein wenig unbehaglich dem würdigen grauhaarigen Ritter nach, der eben den Saal verlassen hatte und nun schnell den Gang hinabschritt.

Ja, da ging er! Und es mochten kaum drei Monde verflossen sein, seit er nach Xanten gekommen war, um den Sohn des Königs von Niederlanden in höfischer Sitte und allen ritterlichen Tugenden zu unterweisen.

Siegfried dachte schuldbewußt darüber nach, wie viele Hofmeister schon gekommen und bald darauf erzürnt oder kopfschüttelnd wieder von dannen geritten waren.

Es mochten wohl sechs oder sieben sein, die ihr Glück versucht hatten und meinten, es müßte doch wunderlich zugehen, wenn sie des ungebärdigen Königssohnes nicht Meister würden.

Fast wollte Siegfried Betrübnis überkommen, weil ihre Mühe und Plage so vergeblich war. Aber was sollte er tun?

---

* Die Ereignisse aus Siegfrieds Jugend, die im mhd. Epos im Verlauf der Handlung erwähnt werden, sind hier der chronologischen Reihenfolge wegen vorangestellt; der Inhalt des Nibelungenliedes beginnt mit dem dritten Kapitel.

Das Leben in der väterlichen Burg gefiel ihm schon seit geraumer Zeit nicht mehr, und manchmal war er mit sich selbst und aller Welt unzufrieden, ohne daß er recht wußte, woran es lag. Dann verübte er in seiner üblen Laune allerlei tolle Streiche, die seinen Vater erzürnten und seine Mutter betrübten.

Wenn die Lehrer von den Taten der Helden aus grauer Vorzeit erzählten, stieg eine unbezwingliche Sehnsucht in ihm auf, fortzureiten, herrlich gerüstet, auf einem wilden Hengst, und die gleichen Abenteuer zu bestehen wie die berühmten alten Recken. Wenn fremde Ritter zu Gaste kamen und von den Kämpfen und Gefahren redeten, die sie bestanden hatten, dünkten ihn die Kampfspiele, die er mit den anderen Knaben im Burghofe austrug, dumm und kindisch. Er war viel stärker als seine Gefährten und besiegte sie immer; aber seine leichten Siege freuten ihn nicht. Wenn er auf dem Turm stand und über das weite Land blickte, schien ihm, als wäre er zu Xanten ein Gefangener. Vergaß er, was die strenge höfische Sitte befahl, so gab es Tadel und Strafe und – ja, das war freilich wahr – dann spielte er den würdigen Herren in seinem Trotz manchen bösen Schabernack. Und wenn . . .

Die zornige Stimme seines Vaters riß den Knaben Siegfried jäh aus seinen unfrohen Gedanken.

König Siegmund war vor ihm stehengeblieben. »Diesmal ist dein Maß voll!« sagte er grollend. »Geh jetzt und komm mir nicht mehr unter die Augen, bis ich dich rufen lasse! Dann sollst du erfahren, was ich über dich beschlossen habe.«

Das hörte Siegfried ungern: denn etwas Gutes hatte er gewiß nicht zu erwarten, meinte er. Vielleicht würde ihn der Vater in den Turm sperren oder ihm das Pferd wieder fortnehmen, das er ihm vor ein paar Tagen geschenkt hatte . . . oder weiß Gott, wie er ihn zu bestrafen gedachte! Indessen blieb ihm nichts übrig, als zu gehorchen, und so verneigte er sich tief, warf einen reumütigen Blick in das traurige Gesicht seiner Mutter und ging.

Der König blieb stehen, wo er stand, starrte das dunkle Wandgetäfel an und versank abermals in düsteres Sinnen. Frau Sieglinde betrachtete ihren erzürnten Gemahl heimlich und sorgenvoll. Eine Weile wartete sie geduldig, aber weil das Schweigen kein Ende nehmen wollte, faßte sie sich ein Herz und fragte: »Was willst du tun, mein lieber Herr? Ich bitte dich, sei nicht allzu streng gegen Siegfried! Er ist noch sehr jung und . . .«

Der König fuhr herum, daß sie erschrocken verstummte. »Du sollst nicht für ihn bitten!« sagte er finster. »Diesmal nicht mehr! Der Tollkopf muß endlich zu Verstande kommen und lernen, sich zu bezähmen! Wie soll das sonst wohl gehen, wenn der wilde Bursche einmal König wird? Die vornehmsten Ritter und die besten Lehrer haben nichts ausgerichtet: nun weiß ich nur noch ein einziges Mittel«, fuhr er grimmig fort. »Harte Arbeit ist eine gute Arznei gegen mancherlei! Ich will ihn zu Meister Mimer in die Lehre geben. Er ist ein kunstreicher Schmied und ein strenger Mann: vielleicht werden seine rußigen Fäuste besser mit Siegfried fertig als alle höfischen Zuchtmeister.«

Also ließ der König Meister Mimer, der viele Stunden weit entfernt im Walde seine Schmiede hatte, zu sich kommen.

»Du bist ein verständiger Mann«, sprach er zu ihm, »und darum kann ich offen mit dir reden. Mein Sohn Siegfried macht seinen Lehrern viel zu schaffen, so starr und tollköpfig, wie er ist. Das taugt nicht für einen König. Ehe er befehlen kann, muß er selbst Zucht und Ordnung und ernsthafte Arbeit lernen! Darum sollst du ihn in die Lehre nehmen.«

Der Schmied betrachtete den König überlegsam, ganz und gar nicht demütig. Seine kleinen Augen blitzten schlau aus dem Gesicht, in dessen Falten überall Ruß saß, obgleich er sich gewaschen hatte, so gut er es für nötig hielt.

»Ich habe schon manchen Burschen zu Verstande gebracht«, sagte er bedächtig, »und an Hammer und Amboß kann sich viel Übermut austoben.«

Der König nickte zufrieden. »Das meine ich auch. Siegfried mag gleich mit dir gehen, und du sollst ihn genauso behandeln, als wäre er ein gewöhnlicher Lehrling.« Er sandte einen Kämmerer nach seinem Sohn. Unterdessen sah er heimlich mit Verwunderung die mächtigen Schultern des Schmiedes an und seine langen Arme, an denen die Hände wie Schaufeln hingen.

Da trat Siegfried ein. Er wußte schon, was sein Vater über ihn bestimmt hatte, und sein junges Gesicht schien ernsthafter als sonst. Nur ein schneller, neugieriger Blick flog hinüber zu dem berühmten Schmied, der sein Lehrmeister werden sollte. Dann verbeugte sich der Knabe ehrerbietig vor dem König und der Königin und wartete schweigend.

»Nun sollst du also mit Meister Mimer gehen«, sprach König Siegmund streng und merkte dabei zum ersten Male, daß er zu seinem Sohne hinaufsehen mußte.

»Ja, Vater«, sagte Siegfried so schnell, daß der König aufhorchte. Ei, seit wann war sein tollköpfiger Sohn so gefügig? Fast klang es doch, als freue sich der Knabe, die reiche Burg zu Xanten mit der rußigen Schmiede zu vertauschen!

Aber darüber dachte Siegfried nicht viel nach. Es schreckte ihn auch nicht, daß er arbeiten sollte wie ein gewöhnlicher Schmiedelehrling: denn endlich durfte er fort aus den engen Mauern, hinaus in die Welt, die so weit und schön war und voll von Abenteuern! Ach, was wußten sie alle davon, wie sehr er sich seit langem danach gesehnt hatte!

Freilich weinte die Königin, als er von ihr Abschied nahm, und das tat ihm leid: denn er liebte sie und war im Grunde seines Herzens keineswegs böse.

»Weine nicht, Mutter«, sagte er ernsthaft, »wenn du wieder von mir hörst, wird man dir von meinen Kämpfen und Siegen erzählen, und wenn ich einmal zurückkehre, werde ich ein berühmter Recke sein!«

Frau Sieglinde verwies ihm sein prahlerisches Reden. »Eines Tages wirst du wohl ein tapferer Ritter sein«, meinte sie. »Aber vergiß nicht, daß du auch ein guter und weiser König werden sollst!«

»Ei freilich!« versprach er leichten Sinnes, und seine Gedanken flogen schon wieder voraus in die unbekannte weite Welt.

Bald darauf wanderte er, aller höfischen Zucht entronnen, mit Meister Mimer wohlgemut dem Walde zu.

Sie wanderten viele Stunden lang. Der Schmied erzählte allerlei von seinem Handwerk, und Siegfried fragte ihn begierig aus, wie denn alle die Waffen verfertigt würden, die in des Königs Rüstkammer hingen und die man ihm nie zu tragen erlaubt hatte. Heimlich nahm er sich vor, sich selbst sogleich ein gutes Schwert zu schmieden, denn es wurmte ihn schon lange, daß er noch keines besaß.

Es wurde Nacht, und im Walde war es stockdunkel wie in einem Sack. Siegfried stolperte hinter dem Schmied drein, den er gerade noch als schwarzen Schatten sehen konnte. Der Weg war schmal.

»Gib acht«, warnte Meister Mimer, »wir müssen nun durch einen Sumpf! Halte dich an meinem Wams fest, sonst holen dich die Irrwische, wenn du vom Weg abkommst.«

Siegfried sah die Irrwische wohl: gespenstische, blasse Lichtlein hüpften vor ihnen hin und her, daß es einem schwindelte, wenn man hinsah. Manchmal glaubte der Knabe, ein fahles Gesichtlein mit grün leuchtenden Augen zu erkennen, aber sogleich war es wieder verschwunden.

Da prallte Mimer plötzlich gegen Siegfried zurück, fluchte laut und schleuderte mit seiner Stange etwas zur Seite, das ihnen im Wege war. Ein häßliches Zischen kam aus dem Sumpf, und dann platschte es, als bewegte sich irgend etwas im Wasser fort.

»Was war es denn?« fragte Siegfried neugierig.

«Oh«, antwortete Mimer mürrisch, »in den Tümpeln da wohnt allerhand Gewürm. Als ob wir nicht genug hätten an dem großen Lindwurm drüben im Drachenstein! Seine Brut kommt in der ganzen Gegend herum. Es sind recht possierliche Tierchen, die jungen Lindwürmer, schlank und zierlich und flink auf den Beinen. Oft wohnen sie lange Zeit in einem Sumpfloch und warten darauf, bis sie groß genug sind, auf Raub auszugehen. Aber weil sie neugierig sind, müssen sie immer wieder herumlaufen, und dann schlagen wir sie tot. Da bin ich eben gerade einem von ihnen auf den Rücken getreten, und er hat nach meinem Fuß geschnappt.«

»Ein Lindwurm?« wiederholte Siegfried entzückt und wäre gerne zurückgelaufen, ihn zu suchen: aber das ging freilich nicht. »Und sage mir, Meister, wo haust der alte Drache, von dem sie immer erzählen, der Vieh und Bauern raubt und den niemand töten kann?« In seiner Aufregung zerrte er den Schmied heftig am Wams.

»Willst du mich in den Sumpf werfen?« schrie Mimer zornig. »Morgen, von der Schmiede aus, kannst du den Drachenfelsen sehen! So, nun bin ich wahrhaftig froh, daß wir wieder auf dem Trockenen sind. Siehst du den roten Schein da vorne zwischen den Bäumen? Das ist die Schmiede.« Und er stapfte mit großen Schritten auf den Feuerschein zu.

Bald hörten sie Hammerschläge klingen. Mimers Gesellen arbeiteten abwechselnd Tag und Nacht, so viel hatte er zu tun: denn er war weit bekannt wegen seiner Kunst.

Siegfried mußte sich ein wenig bücken, als sie durch die niedere Tür in die Werkstatt traten. Da glühte das Feuer in den Essen, die Schmiedegesellen hantierten mit rot angeleuchteten, verrußten Gesichtern und sahen aus wie Teufel aus der Hölle. Ein kleiner, halbnackter Bursche hockte auf der Erde und blies mit dem Balg ins Feuer. Es gab ein gespenstisches Gewinsel, und Funkengarben stiegen knisternd in den Rauchfang. Dazu herrschte ein greuliches Gelärm und Gehämmer.

Siegfried erschien dies alles schaurig-schön, und er wäre gern gleich dageblieben. Aber der Meister schickte ihn nach hinten in die Kammer, wo schon die übrigen Gesellen schnarchten, und sagte: »Geh nur gleich schlafen, morgen soll es früh mit der Arbeit anfangen.«

Und weil er wirklich müde war, gehorchte Siegfried und stolperte in den dunklen Raum, in dem nur durch die halboffene Tür der Feuerschein drang. Nachdem er glücklich an verschiedenen Füßen vorbeigekommen war, fand er in einer Ecke ein freies Lager aus Stroh und Fellen, legte sich hin und schlief ein.

Er fuhr in die Höhe, als jemand ihn kräftig schüttelte. »He, willst du den ganzen Tag verschlafen?« sagte ein rußiges Gesicht über ihm, und er merkte, daß es heller Morgen war und die Sonne schon hoch am Himmel stand. Da fiel ihm erst wieder ein, wo er war.

»Steh nur auf«, lachte der Berußte, »das ist mein Bett, ich habe die ganze Nacht gearbeitet, jetzt bist du an der Reihe.«

Das war nun freilich eine ungewohnte Redeweise für den Sohn eines Königs. Aber das kümmerte Siegfried wenig. Flink sprang er auf und lief hinaus in die Werkstatt. Der Meister und die Gesellen waren schon da.

»Draußen ist eine Quelle, da kannst du dich waschen, wenn du willst! Aber man wird ohnehin gleich nichts mehr davon merken.«

Dennoch lief Siegfried vors Haus, weil er sich gerne schnell ein wenig umsehen wollte. Die Schmiede stand auf einer Lichtung mitten im Walde; der Boden stieg gleich hinter dem Hause zu einem Hügel an, an dessen Fuß eine Quelle entsprang. Siegfried rannte den Hügel hinauf: er mußte wissen, wie weit man von droben ins Land schauen konnte und wo der Drachenberg lag.

Da erblickte er nun weit draußen über den Bäumen ein Gewirr von Felsen, die wild und zerklüftet in den blauen Himmel starrten; eine schwarze Schlucht führte mitten hinein, man konnte nicht sehen, wie weit. Es schien Siegfried gewiß, daß dort der große Lindwurm wohnen mußte, so unheimlich, wie der Berg herübersah! Er vergaß Meister Mimer und die Arbeit, und seine Gedanken kreisten wie aufgeregte Vögel um den Drachenstein. Wenn er erst ein Schwert hatte, dann würde er hinwandern und den Lindwurm erschlagen! Und dann würden die Leute von weit her kommen und das tote Ungeheuer bestaunen und den Helden, der sie davon befreit hatte. Und dann ... Der Knabe Siegfried kam sich unaussprechlich herrlich vor in seinen Träumen. Aber da wurde er sehr unsanft daraus geweckt.

»Bist du im Stehen eingeschlafen?« schrie Meister Mimer unwirsch und sah von drunten zu seinem Lehrling hinauf. »Vorwärts, komm herunter, bei mir heißt es arbeiten und nicht Maulaffen feilhalten!«

Da stieg Siegfried hinab und folgte dem Schmied gehorsam in die Werkstatt. Heimlich hatte ihn freilich sein Jähzorn überkommen, und er hätte Meister Mimer gern im Genick gepackt und geschüttelt. Aber als er die gewaltigen Schultern ansah, schien es ihm doch nicht ganz rätlich.

»So, nun zeig einmal, ob du einen Hammer anfassen kannst«, befahl der Schmied, zog eine glühende Eisenstange aus der Esse und legte sie über den Amboß. Da lagen auf der Bank die verschiedensten Hämmer. Den größten nahm Siegfried, schwang ihn über den Kopf, wie er es bei den Gesellen sah, und schlug zu. Oh, Himmel, was waren das für Schläge! Das glühende Eisen splitterte, die Funken flogen in der ganzen Werkstatt herum, daß sich Meister Mimer, der neben ihm stand, eilig in Sicherheit brachte. Der Amboß klang und dröhnte und sank bei jedem Schlag ein Stücklein weiter in den Boden.

Meister Mimer betrachtete seinen neuen Lehrling mit hellem Entsetzen. »Hör auf!« brüllte er, »du schlägst mir ja die ganze Werkstatt kurz und klein!« Aber Siegfried konnte einfach nicht aufhören. Es freute ihn unbändig, so draufschlagen zu können und zu spüren, wie stark er war. Aber dem Meister gefiel das ganz und gar nicht, er packte ihn kurzerhand beim Kragen und riß ihn mit einem gewaltigen Ruck vom Amboß weg.

»Was glaubst du denn, he?« schrie er wütend. »Vernünftig arbeiten sollst du lernen, nicht dreinschlagen wie ein Tollhäusler.«

Siegfried meinte verwundert, daß der Meister mindestens ebenso stark sein mußte wie er selbst, und empfand einige Achtung vor dem rußigen Mann. Da sah er, wie die Gesellen beisammenstanden, zuschauten und lachten. Das erbitterte ihn, und er ging zornigen Schrittes hinüber, packte den ersten und warf ihn in die Ecke.

»Ich will euch lehren, über mich zu lachen«, sprach er. Aber sie lachten beileibe nicht mehr. Da ließ er sie in Ruhe und begann wieder zu arbeiten. Und weil er sich Mühe gab, stark und geschickt war, lernte er bald allerlei. Das Handwerk freute ihn, und Meister Mimer dachte schon befriedigt bei sich, daß er ja seinen hochgeborenen Lehrling sehr schnell zu Verstande gebracht habe. Aber am gleichen Tag schlug Siegfried einen Gesellen windelweich, der gesagt hatte, aus ihm würde seiner Lebtag weder ein Schmied noch ein König. Solche Raufhändel gab es immer öfter, je länger Siegfried in der Schmiede war, und das Gesicht des Meisters wurde allmählich bedenklich; denn die Gesellen murrten, weil ihnen dieser fürchterliche Lehrling in seinem Übermut allerlei Schabernack antat und weil sie ja den Sohn des Königs doch nicht gut verprügeln konnten.

Siegfried aber begann nun auch das Leben in der Schmiede wieder zu langweilen, und er sehnte sich fort. Immer lag er Meister Mimer in den Ohren, doch nun endlich für sich selbst ein gutes Schwert schmieden zu dürfen. Mit dem Schwerte gedachte er dann fortzuziehen in die weite Welt.

Oft kamen Ritter in die Werkstatt, und er sah mit heimlichem Neid, wie sie die herrlichen Rüstungen und die besten Waffen auswählten, Helme mit seltsamen Tierfiguren und Schilde mit schönen Wappen trugen, und wie sie stolz und glänzend davonritten. Da war er dann immer den ganzen Tag übler Laune und verdarb in seinem Zorne manche Arbeit. Manchmal meinte er wohl, er sollte wieder heimkehren nach Xanten und ruhig nach höfischer Sitte leben und warten, bis er alt genug wäre, zum Ritter geschlagen zu werden. Aber er wußte, daß er es daheim nicht aushalten würde.

Dem Meister Mimer gingen eines Tages seine zwei besten Gesellen auf und davon, weil sie neben Siegfried nicht mehr arbeiten mochten. Das ärgerte den Schmied nun freilich gewaltig, und er begann den ungeratenen Lehrling weit fort zu wünschen. Aber was tun? Man konnte den Sohn des Königs nicht einfach aus dem Hause jagen wie irgendeinen anderen Taugenichts. Wie er so hin und her überlegte, kam ihm ein guter Gedanke. Er ging zu Siegfried, sah ihm eine Weile bei der Arbeit zu und fing dabei an zu erzählen, daß der Lindwurm im Drachenstein immer ärger in der Gegend wüte und alles in Furcht und Schrecken versetze. »Es ist ein Elend«, sprach er und zog das Gesicht in kummervolle Falten, »daß niemand im Lande ist, der dem greulichen Drachen den Garaus macht. Die Bauern ziehen aus der Gegend fort, weil sie ihres Lebens nicht mehr sicher sind. Das fruchtbare Land um den Drachenberg verödet, daß es jammerschade ist.«

Siegfried hörte begierig zu, und seine Augen glänzten.

»Oh, hätte ich nur ein gutes Schwert«, sagte er sehnsüchtig, »ich wollte mit dem Ungetüm schon fertig werden!«

Mimer lachte laut. »Du? Ich sage dir, das haben schon ganz andere Leute als du gemeint! Sie sind zum Drachenberg geritten und nicht wiedergekommen. Rüstung und Schwert könntest du wohl von mir bekommen, aber den Drachen schlage dir ruhig aus dem Kopfe, so ein junger Bursche, wie du bist!« Und er tat, als wollte er fortgehen. Aber nun ließ sich Siegfried nicht mehr abschütteln. »Meister«, bat er, »laß mich endlich ein Schwert schmieden! Du hast es mir schon lange versprochen.«

Der Schmied überlegte schnell. Wenn er dem Burschen Schwert und Rüstung gab, so war er sicher, daß der Tollkopf schnurstracks nach dem Drachenberge rennen würde! Und wer weiß – dieser Königssohn war stark wie ein Bär, behend wie eine Wildkatze, und Furcht schien er nicht zu kennen –, vielleicht gelang es ihm wirklich, das Ungeheuer zu erlegen! Dann wäre das Land vom Drachen befreit, und er, Meister Mimer, von seinem fürchterlichen Lehrling: denn der Held, der den Lindwurm erschlagen hatte, würde niemals wieder in seine Werkstatt zurückkehren!

Je länger Meister Mimer darüber nachdachte, desto besser gefiel ihm sein Plan.

»Gut«, sagte er, »du hast nun gerade ein Jahr bei mir gearbeitet. Ich will dir also eine Rüstung geben, und du kannst dir selbst ein gutes Schwert schmieden. Fange nur gleich damit an!«

Das ließ sich Siegfried ja nicht zweimal sagen, und das Herz hüpfte ihm vor Freude. Der Meister tat sogar ein übriges und suchte ihm ein besonders gutes Stück Eisen aus. Heimlich hatte er doch ein böses Gewissen, weil er den unverständigen Burschen so in das gefährliche Abenteuer laufen ließ: denn vom Drachenstein war wirklich noch keiner zurückgekommen.

Siegfried aber begann sogleich mit großem Fleiß sein Schwert zu schmieden, und Meister Mimer half ihm selbst dabei. Und als es fertig war, meinte er, ein so gutes Schwert sei noch nie aus seiner Schmiede gekommen. Darauf wählten sie eine Rüstung aus, und als Siegfried sie angelegt hatte, war aus dem Schmiedelehrling ein stolzer Recke geworden.

Ungeduldig wartete er, bis es Abend wurde. Dann nahm er Schwert und Rüstung mit sich in die Kammer und legte sie in die Ecke neben dem kleinen Pförtlein, das ins Freie führte, denn er hatte beschlossen, noch in dieser Nacht fortzugehen.

Eine Weile lag er wach auf seinem Bett und horchte aufmerksam, ob die anderen Gesellen schon schliefen. Endlich erhob er sich leise, nahm seine Sachen und schlüpfte durch das Pförtlein hinaus. Keiner der Schläfer rührte sich: wer schwer arbeitet, schläft gut. Aus der Werkstatt drang das Gelärm der Hämmer, und der Rauchfang sprühte Funken. Lebe wohl, Meister Mimer, mir ist die Schmiede zu eng geworden!

Mit langen Schritten ging Siegfried über die Lichtung. Im Gebüsch legte er die Rüstung an, band den Helm auf, nahm Schwert und Schild und wanderte fort durch den Wald. Der Mond schien zwischen den Bäumen durch, spiegelte sein rundes Gesicht in dem blitzenden Schild und ließ den Harnisch funkeln wie lauter Silber.

Er wußte nicht, wie lange er so gegangen war, da sah er, daß der Himmel über den Bäumen hell wurde. Bald darauf lichtete sich auch der Wald, und er kam ins freie Land hinaus. Es war noch sehr früh am Morgen, die ersten Vögel zwitscherten verschlafen, in der Ebene lagen ein paar Gehöfte wie ausgestorben, der Wind lief über Felder, auf denen niemand das Korn geschnitten hatte, obwohl die Erntezeit vorüber war. In der Ferne ragten die Berge in den Himmel, und vor ihnen erhob sich schwarz der Drachenstein mit seinen wilden Zacken und Klüften. In diesem Augenblick ging die Sonne auf. Siegfried blickte nach dem Felsen hinüber, seine Augen brannten vor Kampfgier. Ehe die Sonne heute unterging, würde das Ungeheuer, das da drüben hauste, tot sein!

Da sah er plötzlich, daß ihm auf dem Wege, den er unwillkürlich eingeschlagen hatte, ein Ochsenkarren entgegenkam. Eine Frau saß darauf und zwei Kinder, allerlei Hausrat war aufgehäuft, und nebenher ging ein Mann im Bauernkittel. Hinter dem Wagen aber trabte ein gesatteltes Pferd ohne Reiter. Der Bauer hielt sein Gefährt an und grüßte bescheiden. Er sah so bekümmert aus, daß ihn Siegfried fragte, was ihn denn so bedrücke.

»Ach, edler Herr«, sagte der Mann, »siehst du den Hof

da drüben? Er gehört mir. Aber ich muß fort mit allem, was mir noch geblieben ist, denn der Drache läßt uns nicht mehr leben. Er holt mir das Vieh von der Weide, er wälzt sich in den Feldern und verwüstet die ganze Ernte, und wir selber dürfen uns kaum mehr aus dem Hause wagen, denn er hat schon den Sohn meines Nachbarn und einen Knecht weggeschleppt. Darum will ich mit Weib und Kindern fort, wie die Leute in den anderen Höfen auch. Aber du« – er brach ab und sah Siegfried erschrocken an –, »wo willst du hin, edler Herr? Dieser Weg führt dich gerade zum Drachenstein. Geh nicht weiter – denn siehst du, erst gestern ist ein Ritter gekommen auf diesem Pferd da, er ist zum Drachenstein geritten, obwohl wir ihn gewarnt haben. Am Abend ist dann das Pferd allein in unseren Hof gerannt wie toll. Den Ritter haben wir nicht wiedergesehen – und alle die anderen, die es vor ihm schon versucht haben, auch nicht. Niemand kann das Ungeheuer besiegen.«

Siegfried tat der Bauer von Herzen leid, weil er so von Haus und Hof fort mußte. »Hör zu!« sprach er, »du brauchst nicht weit zu fahren: denn heute abend kannst du wieder zurückkehren. Dann wird der Drache tot sein« – er brach plötzlich ab und starrte einen Augenblick stumm zu Boden – »oder ich«, fügte er ernst hinzu.

Der Bauer hob entsetzt die Hände auf. »Tu es nicht, Herr!«

Siegfried schüttelte den Kopf. Die alte Kampfbegier überkam ihn wieder und ein grimmiger Zorn gegen das unbekannte Scheusal. »Ihr sollt wieder in Frieden auf euren Höfen leben, das verspreche ich dir«, sagte er. »Ich werde mich schon meiner Haut zu wehren wissen! Und nun gehab dich wohl!«

Als der Bauer sah, daß er den jungen Ritter nicht von seinem Vorsatz abbringen konnte, sagte er endlich: »Herr, willst du nicht wenigstens das Pferd nehmen? Es ist noch weit, und du wirst sonst müde vom Weg.«

Das nahm Siegfried freilich dankbar an, stieg auf und ritt weiter nach dem Drachenberg.

Er kam an verödeten Gehöften vorbei, da und dort bleichten ein paar Tierknochen in der Sonne, die Felder waren zerstampft und die Erde aufgewühlt. Spuren wie von riesigen Tatzen liefen zur Schlucht im Drachenstein hinauf, tief in die Erde eingedrückt.

Das Pferd begann plötzlich unruhig zu werden. Es schnaubte und zitterte, prallte zurück, ging wieder zögernd einen Schritt vor, fing mit weitgeöffneten Nüstern die furchtbare Witterung auf, die ihm entgegenkam, und versuchte zu flüchten. Da sprang Siegfried ab, band es ein wenig seitwärts an einen Baum und ging auf den Felsen zu.

Langsam, Schritt für Schritt, näherte er sich dem Eingang der Schlucht. Zu beiden Seiten ragten die Wände senkrecht auf, schwarz und glänzend vor Nässe. Der Boden war feucht, und Modergeruch stieg davon auf. Es gedieh keine Blume und kein Baum an diesem schrecklichen Platz.

Nur droben am Rande der Schlucht, wo ein wenig Erde und Rasen die Felsen bedeckte, wuchs eine junge Linde. Manchmal fuhr der Wind durch ihre kleine Krone, dann flüsterten die Blätter leise, und eins oder das andere fiel zu Boden. Denn der Sommer ging zu Ende.

Die Spuren der riesigen Tatzen waren überall eingedrückt, und ein sonderbarer Geruch lag in der Luft, der einem fast den Atem nahm.

In diesem Augenblick hörte Siegfried ein Geräusch. Es war ein Schleifen und Scharren, als reibe sich etwas am Gestein. Die Schlucht war sehr eng geworden und bog sich jetzt um einen Felsvorsprung, so daß Siegfried nicht weiter sehen konnte. Mit großer Vorsicht spähte er um die Felskante: und was er da sah, ließ ihm das Blut in den Adern erstarren. Da lag das scheußlichste Ungetüm, das je die Hölle ausgespien haben mochte, und rieb unaufhörlich seinen Kopf am Felsen. Und – o Gott, was war das für ein fürchterlicher Kopf! Riesig, grau und unförmig wie ein Steinklotz, aber gräßlich lebendig! Ein Rachen wie von einer ungeheuren Eidechse, von einem mörderischen Gebiß starrend. Aus den weit offenen feuerroten Nasenlöchern wolkte der Atem wie Dampf. Vom Halse abwärts über den Rücken lief ein stacheliger Kamm, und der ganze gewaltige Drachenleib war mit grauen Schuppen bedeckt. Und da lag dieses Untier, kratzte sich am Gestein und stieß dazu behaglich grunzende Laute aus.

Aber noch etwas sah Siegfried: es war ein ziemlich großer runder Felsenkessel, der die Schlucht abschloß, und auf dem schwarzen Boden lagen überall zerbeulte Harnische, seltsam verbogene Schilde, Helme, die wie zerbissen aussahen, da und dort ein Knochen . . ., aber es waren keine Tierknochen, dachte er mit Grausen. Er spürte, wie es ihm sonderbar im Kopfe wurde. »Das kommt von der giftigen Ausdünstung des Drachen, ich muß ein wenig zurückgehen, wo die Luft frischer ist«, überlegte er.

Aber er hatte keine Zeit mehr dazu, denn in diesem Augenblick sah ihn der Drache. Der scheußliche Kopf erstarrte, und die Augen, diese fürchterlichen steingrauen, toten Augen richteten sich auf ihn mit einem Blick voll so höllischer Bösartigkeit, daß ihm das Mark in den Knochen gefror. Ganz langsam schob sich der Kopf jetzt vor, in den zusammengerollten Riesenleib kam Bewegung, die Vordertatzen streckten sich heraus, entsetzliche Krallen gruben sich in die Erde . . . So kroch das Scheusal auf ihn zu, ohne ihn aus den Augen zu lassen, langsam, als wäre es seiner Beute sicher.

Siegfried sah es herankommen, aber er vermochte kein Glied zu rühren. Wie eine Lähmung hatte es ihn überfallen, die von diesen entsetzlichen Augen ausging. Nun war der Schädel mit den dampfenden Nüstern nur mehr wenige Schritte vor ihm. Der ganze Leib war jetzt ausgestreckt, eine graue Walze, die wohl fünf Männerlängen haben mochte und so dick war wie eine hundertjährige Eiche. Der Schwanz peitschte den Boden, als freute sich das Scheusal, seinem Opfer nun gleich mühelos den Garaus zu machen.

Da fühlte Siegfried, wie ihn eine furchtbare Wut packte. Mit einer verzweifelten Anstrengung gelang es ihm, den Schild vor das Gesicht zu reißen, und im gleichen Augenblick wich die Lähmung von ihm. Im Nu flog das Schwert heraus, ein Sprung nach vorne – und nun begann ein solcher Höllentanz, daß ihm Hören und Sehen verging. Er wußte nicht mehr, was er tat, er sprang vor, er sprang zurück, er schlug und schlug, wohin er traf, mit rasender Schnelligkeit. Rings um ihn wand und krümmte sich der Drachenleib, der heiße, stinkende Atem erstickte ihn fast, der Rachen klappte weit auf vor seinem Gesicht; er hieb drauflos, immerfort, immer wieder – der Schädel mußte aus Stein sein! Eine Tatze langte nach ihm, ein Schlag – die Tatze hing losgetrennt kraftlos herab – hab Dank, Meister Mimer, es ist doch ein gutes Schwert! – Aber nun umschlang ihn der Schwanz, preßte ihm die Beine zusammen – nur jetzt nicht niederstürzen, sonst ist es aus! Dreimal, viermal schlug er mit verzweifelter Kraft zu, dann war er frei von der furchtbaren Umklammerung, da lag der Schwanz und zuckte noch ein wenig. Aber nun hatte der Drache den Schild mit den Zähnen gepackt, der Verlust seines Schwanzes schien ihn gar nicht zu stören. Siegfried meinte, der Arm würde ihm vom Leibe gerissen, aber den Schild durfte er nicht loslassen! Wieder fielen die Schläge hageldicht auf das mörderische Maul, zwischen die heimtückischen, steinernen Augen. Plötzlich ließ der Drache los, gerade noch früh genug, denn Siegfried fühlte, wie seine Arme zu erlahmen begannen. Was kam nun? Ein wenig wich das Ungetüm zurück, er konnte ein paar tiefe Atemzüge tun – aber im nächsten Augenblick richtete sich der Drache auf den Hinterbeinen zu einer furchtbaren Höhe auf, sein Rachen öffnete sich zu einem gähnenden, feuerroten Schlund, hing einen Augenblick hoch über Siegfried – dann stürzte er auf ihn herab. Siegfried riß den Schild über den Kopf, er hatte in diesem einen Augenblick gesehen, daß die Haut unten am Halse des Drachen weich und schlaff und ohne Schuppen war. Da-

hin richtete er blitzschnell die Spitze seines Schwertes: es war das einzige, was er noch tun konnte. Er spürte, wie die Klinge tief eindrang, etwas strömte über seine Hand, an der der Handschuh schon lange zerrissen war. Ein gräßliches Röcheln und Gurgeln drang noch wie aus weiter Ferne an seine Ohren, dann sank schwer und leblos der Leib des Drachen über ihm zusammmen. Siegfried hatte keine Kraft mehr, zur Seite zu springen: vor seinen Augen wurde es dunkel. Er fühlte, wie ihm die Sinne schwinden wollten, und er wehrte sich verzweifelt dagegen. »Ich darf nicht hier liegenbleiben«, dachte er, »hier kann ich nicht atmen! Ich muß nur wieder Luft haben, dann ist alles gut.« Mühsam wälzte er den zuckenden Kopf des Ungeheuers von sich weg. Das Schwert steckte bis an den Griff weit drunten im Halse, und die Spitze mußte dem Lindwurm gerade ins Herz gedrungen sein. Noch immer quoll dick und farblos dieses sonderbare Blut heraus, das ganz anders war als das Blut ehrlicher Tiere. Mochte das Schwert steckenbleiben und das Blut weiterfließen, Siegfried kümmerte nichts mehr: er mußte nur fort und wieder kühle, reine Luft atmen. Sterbensmüde wankte er aus der Schlucht. Halb blind vor Erschöpfung stolperte er draußen auf den Baum zu, wo er sein Pferd angebunden hatte, und warf sich ins Gras. Das Pferd wieherte leise und schnaubte ihm ins Gesicht: Es schien froh zu sein, daß sein neuer Herr zu ihm zurückgekehrt war.
Aber der Harnisch drückte, als ob der ganze Körper zerschlagen wäre, und so zog ihn Siegfried aus, das Hemd klebte naß am Leibe, da legte er es auch ab. So lag er eine Weile da und atmete in tiefen Zügen. Bald fühlte er, wie seine Kräfte wiederkehrten, und die Freude darüber, daß er nun wirklich den Drachen getötet hatte. Er beschloß, gleich noch einmal in die Schlucht zurückzugehen, Schwert und Schild zu holen und das tote Ungeheuer zu betrachten. Als er aufstand, fiel ihm an seiner rechten Hand etwas Sonderbares auf: es schien ihm, als hätte sie an manchen Stellen so etwas wie eine zweite Haut, die

sich nicht wegkratzen und nicht ritzen ließ und so fest-
saß, als wäre sie angewachsen. Während er sie noch verwundert anstarrte, fiel ihm ein, daß ihm da das Blut des
Drachen darübergeflossen war. Er stieß einen leisen Ruf
aus. Ei, hatte er nicht immer gehört, daß Drachenblut unverwundbar mache? Schnellen Schrittes ging er wieder in
die Schlucht hinauf.

Schlaff und zusammengesunken lag der riesige Schuppen-
leib, und die Zunge hing ihm schwarz aus dem Rachen.
Das Blut hatte aufgehört zu rinnen, aber in einer Vertie-
fung an der Seite war ein kleiner See davon zusammenge-
flossen. Da zog sich Siegfried eilig vollends aus und badete den ganzen Körper im Drachenblute. »Das ist gut im
Kampfe«, dachte er fröhlich und fühlte, wie sich die neue
Haut fest und geschmeidig um ihn legte.

Ein kühler Luftzug strich über die Schlucht hin, und
droben in der Krone der kleinen Linde löste sich ein Blatt.
Langsam taumelte es herab und fiel auf Siegfrieds Rücken.
Da legte es sich unbemerkt auf die Haut, gerade unter der
Schulter. So blieb diese kleine Stelle ungeschützt.

Er zog das Schwert aus dem Halse des toten Untieres,
legte Gewand und Rüstung an und kehrte zum Pferd zurück. Ehe er fortritt, blickte er von dem Hügel aus noch
eine Weile über das Land. Er sah die Gehöfte, die Wiesen
und Äcker, wie sie friedlich in der Sonne lagen, und eine
große Freude überkam ihn. »Nun können die Bauern wieder ruhig heimkehren«, dachte er, und es erschien ihm
zum erstenmal im Leben schön, anderen Menschen geholfen zu haben. Nachdenklich ließ er sein Pferd gehen,
wie es wollte: etwas war anders mit ihm geworden, fühlte
er, aber er hätte nicht sagen können, was es war.

2

Als Meister Mimer in der Frühe entdeckt hatte, daß sein Lehrling verschwunden war, nickte er grimmig. Es war also genauso gekommen, wie er es vorausgesehen hatte! Nun – er wusch seine Hände in Unschuld, früher oder später hätte der wilde Bursche doch bei irgendeinem tollen Abenteuer sein Ende gefunden. So tröstete sich Meister Mimer und sandte pflichtschuldig einen Knecht zu König Siegmund, um ihm zu melden, daß sein Sohn heimlich auf und davon gegangen sei. Er ließ auch sagen, daß er fürchte, Siegfried wollte zum Drachenstein, da er oft geprahlt habe, er werde einmal den Drachen töten.

Da war der Schrecken groß in der Burg zu Xanten. Die Königin weinte um ihren wilden Sohn, denn sie meinte, er wäre gewiß zu dieser Stunde schon tot. Der König aber befahl sogleich seinen tapfersten Rittern und besten Knechten, sich zu rüsten. »Ich will selbst nach dem Drachenstein reiten«, sprach er. »Und wenn Siegfried tot ist, werden wir ihn rächen. Wer aber nicht mitreiten will, der mag ruhig daheimbleiben. Denn keiner von uns weiß, ob er wiederkommt.«

Aber niemand mochte zurückbleiben. So ritten sie bald durch das Burgtor hinaus, ein kleines, schweigsames, entschlossenes Häuflein, und schlugen den Weg nach Süden ein.

Sie waren noch nicht weit geritten, da kam ihnen ein einzelner Recke entgegen. Er schien jung und schlank, wie er so geschmeidig zu Pferde saß.

»Wir wollen diesen Ritter befragen«, sprach Siegmund, »vielleicht weiß er etwas von Siegfried, da er aus der Gegend kommt.«

Der fremde Recke hielt plötzlich an. Er sprang ab und nahm sein Pferd am Zügel. So ging er dem König entgegen. Dieser betrachtete ihn zuerst verwundert, dann wurde sein Blick starr. Sein Pferd bekam die Sporen eingedrückt, daß es mit einem erschrockenen Satz vorwärts schoß. Im nächsten Augenblick hielten sie voreinander.

Der junge Ritter verneigte sich tief.

»Vater, ich wollte heimreiten nach Xanten, wenn du es mir erlaubst«, sagte er höflich und sah ein wenig unsicher zu Siegmund hinauf.

Der König vermochte nicht sofort zu sprechen, er fuhr sich mit der Hand über die Stirn, als wüßte er nicht, ob er wache oder träume.

»Siegfried«, sagte er dann, und seine Stimme klang heiser, »Siegfried, du bist wirklich zurückgekommen?«

»Ja, Vater«, sagte Siegfried verwundert. Er verstand nicht, was den König so erschütterte.

Allmählich schien Siegmund zu sich zu kommen, als die Ritter seinen Sohn mit lauten freudigen Zurufen begrüßten. Als wäre eine schwere Last von ihm genommen, richtete er sich im Sattel auf, und die Freude überzog sein Gesicht mit jäher Helligkeit. Er wandte sein Pferd.

»Steig auf, wir wollen so schnell wie möglich wieder in Xanten sein! Deine Mutter ist in großer Sorge um dich: denn Meister Mimer hat uns Botschaft geschickt, du wärest nach dem Drachenstein gegangen.«

Siegfried sprang in den Sattel und lenkte das Pferd neben seinen Vater.

»Dort komme ich her.«

Herr Siegmund sah aus, als habe er ihn nicht verstanden.

»Wo kommst du her?«

»Vom Drachenstein, Vater. Und ich habe den Lindwurm erschlagen.«

Der König riß seinem Pferd den Zaum ins Maul, daß es hoch aufstieg.

»Du hast – den Lindwurm erschlagen?« Er starrte seinen Sohn an wie ein Gespenst. Er öffnete den Mund, als wollte er etwas sagen, aber dann schüttelte er nur stumm den Kopf, spornte sein Pferd und jagte voran auf dem Weg nach Xanten, daß ihm die verdutzten Ritter kaum zu folgen vermochten.

Königin Sieglinde konnte sich nicht fassen vor Glück, daß nun ihr Sohn doch heil zurückgekehrt war, und in Burg und Stadt verbreitete sich mit Windeseile die Nachricht, daß er den Drachen getötet habe. Da waren die guten Leute sehr stolz auf den Sohn ihres Königs und priesen ihn als großen Helden. Wer aber ein Pferd oder flinke Beine besaß, machte sich auf nach dem Drachenstein, das tote Ungeheuer zu sehen.

Als dem König die Kunde von dieser Völkerwanderung zu Ohren kam, ließ er zwei Dutzend Knechte mit drei aneinandergehängten Wagen nach der Schlucht fahren und den Drachen vor die Stadt aufs freie Feld führen.

Da konnten ihn nun alle bestaunen und sich gruseln, und als sie genug davon hatten, und das Ungetüm fürchterlich zu stinken anfing, errichteten sie einen riesigen Scheiterhaufen und verbrannten es. Aber sie hatten noch lange viel davon zu reden, und das war auch etwas sehr Schönes.

Bald aber gab es noch mehr zu reden und zu schauen. König Siegmund ließ ein großes Fest ansagen, denn sein Sohn sollte zum Ritter geschlagen werden und zugleich mit ihm viele junge Edle des Landes.

Da war in der Burg und Stadt zu Xanten ein Gewimmel von Gästen, Rittern, Knechten und Fahrenden, daß die Gäßlein zu eng und die Herbergen zu voll wurden.

Im Dom sang man zu Gottes Ehren eine Messe, vorne knieten die jungen Recken vor dem König und dem Bischof und leisteten den Eid des Ritters: allezeit die Schwachen zu beschirmen und das Böse zu bestrafen.

Hinten im Dom reckte das Volk die Hälse, die Sonne brannte nieder auf das Dach, und mancher wohlbeleibte Bürger seufzte schwer unter der Bürde seines Bauches und seines Staatsgewandes in der Hitze und dem Gedränge.

Zwölf Tage vergingen unter Kampfspielen und Festgelagen, dann nahmen allmählich die Gäste Abschied, und es wurde wieder still in der Burg zu Xanten. Das behagte aber dem jungen Siegfried wenig. Seine Wildheit und sein tolles Wesen waren zwar verschwunden, aber sein Drang nach Abenteuern war geblieben. Er schweifte im Lande umher, erlegte wilde Tiere und verbreitete Schrecken unter der Zunft der Räuber, denen es bis jetzt recht wohl ergangen war bei ihrem Handwerk. Nun mußte mancher von ihnen zu seinem Schaden erfahren, daß Bäume zum Aufhängen dazusein schienen.

Als aber eine Zeit vergangen war, dünkte Siegfried sein eigenes Land zu klein. »Ich kenne jeden Baum und jeden Strauch darin, jede Straße könnte ich im Schlafe reiten, und es ist mir schon viel zu lange kein Abenteuer begegnet! Ich will in fremde Länder fahren: Vielleicht, daß es dort etwas für mich zu tun gibt, das eines tapferen Recken würdig ist!«

Es sollte nicht lange dauern, bis sein Wunsch in Erfüllung ging.

Er war in das Reich der Nibelungen gekommen, von dem man auf den Burgen und an den Höfen viele merkwürdige Geschichten erzählte. Vor kurzer Zeit war ihr König gestorben und hatte seinen Söhnen Schilbung und Nibelung einen unermeßlichen Schatz hinterlassen, der in einem hohlen Berge verborgen lag. Riesen und Zwerge hüteten ihn, und bewaffnete Wächter durchstreiften das Land ringsum, damit nicht etwa Diebe oder habgierige Fremde den Hort rauben könnten.

Siegfried war den beiden jungen Königen einmal an einem Fürstenhofe begegnet. Sie waren hochfahrend und streitsüchtig, und niemand mochte viel mit ihnen zu tun haben.

Alle diese Dinge fielen ihm ein, während er durch eine einsame, unwirtliche Gegend fürbaß ritt und eifrig umherspähte, ob nicht irgend etwas Absonderliches sich zeigen wollte.

Aber es geschah nichts. Wald stand dicht und dunkel zu beiden Seiten der Straße, zwischen den Bäumen hing der Nebel wie riesige graue Spinnennetze. Nur selten kam er an ein Gehöft, und noch seltener gelangte er zu einer Ansiedlung oder zu einer Burg, wo er rasten konnte. Manchmal begegneten ihm ein paar bewaffnete Männer, die ihn schweigend und mißtrauisch musterten, ehe sie ihn vorüberließen.

»Das ist ein ödes, unfreundliches Land«, sagte er verdrießlich zu sich selbst, als er wieder einen langen Tag so geritten war. »Und an den wunderlichen Mären, die die Fahrenden erzählen, ist gewiß kein wahres Wort. Ich will sehen, daß ich von hier fortkomme!«

Aber plötzlich wurde er sehr wachsam. Es war jetzt ein wenig heller, und da sah er vor sich, gar nicht weit entfernt, im Nebel einen Berg aufragen. Eine Burg stand auf dem Gipfel, und drunten in der Felswand befand sich eine dunkle Öffnung, so groß wie ein niedriges Tor.

Langsam ritt Siegfried näher: dann hielt er verwundert sein Roß an.

Am Fuße des Felsens waren viele Männer versammelt, die eifrig beschäftigt schienen. Aus dem Gang, der in den Berg führte, drang der rote Schein von Fackeln, und neben dem Tor standen zwölf riesige Wächter.

»Gott bewahre mich, was sind das für ungefüge Gesellen!« murmelte Siegfried verdutzt. Aber er nahm sich nicht viel Zeit, die Riesen zu betrachten. Denn aus dem Innern des Berges kamen jetzt, einer nach dem andern, schwerbeladene Knechte. Neben ihren Beinen her liefen winzige Männlein mit Fackeln in den Händen, um ihnen zu leuchten. Aber sobald die Knechte ans Tageslicht herauskamen, verschwanden ihre kleinen Führer eilig wieder im Dunkel des Ganges.

Siegfried riß die Augen auf. »Wahrhaftig, die Wichte sind kaum kniehoch!« stieß er hervor. »Mich dünkt, der Herre Gott läßt die Menschen in diesem Land recht ungleich wachsen, die einen zu groß, die anderen zu klein! Ich will nur hoffen, daß wenigstens die Männer da vorne ehrliche Ritter sind, denn ich bin nicht gewöhnt, mit Riesen und Zwergen umzugehen. Aber ich wette meine Rüstung und mein Schwert gegen ein Stücklein rostigen Eisens, daß das funkelnde Zeug, das sie dort aus dem Berge schaffen, der berühmte Nibelungenhort ist! Den muß ich sehen!«

Er trieb sein Pferd an und ritt behutsam durch das Gehölz an den Felsen heran.

Unterdessen schleppten die Knechte immer neue Schätze aus dem hohlen Berge: glänzende Rüstungen, Helme und Schilde mit goldenem Zierat, Schwerter mit funkelnden Steinen im Knauf. Truhen mit kostbaren Gewändern, goldene und silberne Gefäße, Kästlein voll von Ringen, Armreife und Gewandspangen, Schalen aus Bergkristall, gefüllt mit bunten Edelsteinen: blaue Aquamarine, blutrote Karfunkelsteine, grüne Smaragde und blasse Mondsteine.

Siegfried war so in den Anblick der ungeheuren Reichtümer versunken, die da auf dem Rasen am Fuß des Berges ausgebreitet lagen, daß er nicht merkte, wie sein Pferd aus dem Gebüsch ins Freie trat.

Die Männer, die drüben im Kreise saßen, gewahrten ihn sogleich und riefen ihn zornig an, während sie schon aufsprangen und nach ihren Waffen griffen.

Siegfried sah es mit Besorgnis: sie waren sehr viele, und er war allein! Aber im nächsten Augenblick flog ein Lächeln über sein Gesicht. Gerade gegenüber, mitten unter den anderen Recken, standen zwei junge Ritter in goldenem Harnisch, das Schwert in der Faust: Schilbung und Nibelung, die Söhne des toten Nibelungenkönigs.

Schilbung erkannte ihn zuerst.

»Hei, das ist Siegfried von Niederlanden!« rief er und stieß sein Schwert zurück in die Scheide. »Er kommt zur rechten Zeit! So mag er uns helfen, den Hort zu teilen, da wir beide uns doch nicht in Frieden einigen können!«

»Meinetwegen!« sagte Nibelung mürrisch. »Vielleicht ist es wirklich besser, wenn ein Fremder es tut. Denn zwischen uns wird es immer Streit geben.«

Also gingen sie Siegfried entgegen, begrüßten ihn höfisch und trugen ihm ihre Bitte vor.

Siegfried willigte ein, obgleich er wohl merkte, daß die Nibelungenritter finster dreinblickten. Die beiden Könige aber kümmerte das wenig. Sie luden Siegfried ein, sich zu ihnen zu setzen, und Schilbung ergriff ein kostbares Schwert, das bei den anderen Schätzen lag.

»Wir wollen dir für deine Hilfe das Schwert unseres Vaters zu Lehen geben«, sagte er. »Es heißt Balmung und schneidet durch Stahl und Stein und Drachenschuppen. Die Zwerge haben es geschmiedet und an unterirdischen Feuern gehärtet. Und da es doch nur einer haben kann, so ist es besser, du nimmst es, denn mein Bruder und ich können uns nicht darüber einig werden.«

Siegfried nahm das Schwert Balmung und prüfte die Klinge: die war so fein und scharf und der Stahl so biegsam und geschmeidig, daß ihm Meister Mimers gutes Schwert daneben plump und spröde erschien. Er dankte und meinte, gar so übel seien diese Nibelungenkönige vielleicht doch nicht. Aber er sollte bald merken, daß er sich geirrt hatte.

Sie setzten sich hin und begannen den unermeßlichen Hort zu teilen, und Siegfried gab sich redlich Mühe, gerecht zu sein.

Eine Weile ging alles gut. Aber dann gefiel bald dem einen, bald dem anderen der Brüder etwas nicht. Sie wurden zornig, stritten sich untereinander, jeder beschuldigte Siegfried, daß er ihn übervorteilen wolle, und schließlich sprangen sie beide mit roten Köpfen auf, griffen zu den Schwertern und fielen über ihn her. Aber das war unritterlich und ein großer Fehler: denn Siegfried hatte das Schwert Balmung und verteidigte sich ohne Mühe. Und da die zwei streitsüchtigen Könige nicht von ihm abließen, ging es übel für sie aus, und zuletzt lagen sie beide tot auf dem Rasen. Nun stürzten freilich mit fürchterlichem Gebrüll die riesigen Wächter auf ihn los. Aber Siegfried stand mit dem Rücken am Felsen, und Balmung sauste wie ein Blitzstrahl hin und her mit unheimlicher Schnelligkeit. Da vermochten die schwerfälligen Burschen nicht lange standzuhalten, denn sie hatten keine Rüstung und nichts als ihre Keulen.

Die Nibelungen aber stellten sich nur zögernd zum Kampfe, denn Schilbung und Nibelung waren unter ihnen nicht besonders geachtet und beliebt gewesen. Sie berieten sich miteinander, und es schien ihnen kein schlechter Ausweg, Siegfried, dessen Ruhm in allen Landen schon groß war, zum König zu wählen: Er hatte ja ihre Könige besiegt, was sie besaßen, fiel ihm als Siegesbeute zu, und wenn sie es ihm nicht freiwillig gaben, würde er wohl mit Heeresmacht wiederkommen und sich sein Recht mit Gewalt erzwingen.

So riefen sie Siegfried zum König aus und schworen ihm Treue, und das Land und der unermeßliche Hort gehörten ihm.

Aber noch sollte er sich seines Sieges und seines neuen Besitzes nicht freuen.

Im hohlen Berge wohnte zu dieser Zeit ein Volk von Zwergen, über das der tapfere König Alberich herrschte. Sie waren kunstreiche Schmiede, gruben nach Erz und Edelsteinen und stiegen zuweilen aus ihren unterirdischen Kammern und Gängen herauf, um im Sonnenschein auf den Felsen zu sitzen und zu rasten: seltsame kleine Männer mit uralten bärtigen Gesichtern unter spitzen Mützen, fremd und geheimnisvoll.

Als droben vor dem Berge das Kampfgetöse anhub, lauschten sie erschrocken, warfen Hammer und Meißel fort und stiegen eilends nach oben, um an Rissen und Spalten, hinter Felsen versteckt, Ausschau zu halten.

Da sahen sie mit Entsetzen, wie die Nibelungenkönige den fremden Recken überfielen, und wie er sich gegen beide zugleich wehren mußte. Oh – aber was war er für ein gewaltiger Held! Und er hatte das Schwert Balmung in der Faust, die Zwerge erkannten es sogleich, da sie es selbst geschmiedet hatten! Nein, niemand konnte diesem Schwert und diesem Ritter widerstehen! So fielen die törichten Könige: sie hatten sich selbst ihr Schicksal bereitet, meinten die Zwerge. Und was vermochten die armen, ungeschlachten Wächter mit ihren Keulen gegen das Schwert Balmung und den schnellen Kämpfer?

Den Zwergen graute es vor dem wilden Getümmel. Sie rannten hinab in den Berg zu König Alberich und erzählten, was sich droben zugetragen hatte. Er hörte sie gelassen an und befahl sogleich, ihm seine Rüstung und seine Waffen zu bringen: denn das Volk der Zwerge war den Nibelungenkönigen untertan, und Alberich hatte ihnen einst Treue geschworen. Dies gedachte er zu halten. »Ich werde die erschlagenen Könige rächen«, sprach er ernst und stieg, wohlausgerüstet mit Schwert und Schild, nach oben.

Ehe er aus dem Gang ins Freie trat, hielt er einen Augenblick inne und zog seine Tarnkappe über den Helm: Sie machte ihn unsichtbar und verlieh ihm Zwölfmännerstärke. –

Siegfried stand bei den Knechten und ließ den Schatz wieder in die unterirdischen Kammern schaffen.

Plötzlich erhielt er einen furchtbaren Schlag in die Seite, daß er taumelte.

Voll Verwunderung sah er sich um. Aber da war niemand! Nein, niemand konnte ihn mit einem Schwerte geschlagen haben! Er blickte ratlos an sich hinab: Da, in seinem Harnisch, klaffte aber dennoch ein langer Riß wie von einem Schwerthieb . . . In diesem Augenblick traf ihn ein gewaltiger Stoß gegen die Brust, der ihn beinahe rücklings zu Boden geworfen hätte! Großer Gott, was war denn das für ein höllischer Spuk? Da . . . jetzt hörte er deutlich das leise Sausen eines Schwertes – schon knickten seine Knie ein unter der Wucht eines neuen Schlages! So ging es weiter, Hieb auf Hieb! Die Rüstung war bald auf allen Seiten durchlöchert. Die Knechte starrten ihren neuen König an, als fürchteten sie, er sei nicht ganz richtig im Kopfe, weil er so sonderbare Sprünge machte.

Siegfried aber packte jetzt eine so fürchterliche Wut, daß es ihm rot vor den Augen wurde. Wenn ihn schon jemand mit einem Schwerte schlug, dann mußte auch jemand da sein! Er fuhr herum wie der Blitz, drehte sich im Kreise, einmal stieß seine Hand an Eisen, aber sofort traf sie ein Hieb, daß er einen Augenblick meinte, sie wäre ihm abgeschlagen. Sein Kopf rauchte vor Zorn. Er sprang links und rechts wie ein Panther, und da – jetzt hatte er etwas in der Hand – ein feines, seidiges Gewebe! Ein Riß, seine Finger hielten das Gespinst umklammert, vor ihm aber stand plötzlich, wie aus dem Boden gewachsen, ein kleiner Recke in glänzender Rüstung. Er senkte sein Schwert und sah Siegfried, der wutschnaubend zu ihm hinunterstarrte, ohne Furcht an.

»Ich bin Alberich, der König der Zwerge!« sprach er mit Würde, »und ich wollte die Nibelungenkönige, meine Schirmherren, rächen. Aber nun kann ich nicht mehr mit dir kämpfen, da du mir meine Tarnkappe abgenommen hast: denn du würdest mich sofort töten. Ich bin in deiner Hand, was willst du tun?«

Siegfried fühlte, wie sein Zorn verrauchte. Die Treue des Zwerges gegen seine Herren gefiel ihm und der ganz furchtlose kleine König auch.

»König Alberich«, sagte er höflich, »wenn du mir so treu sein willst wie deinen früheren Herren, so werde ich mich glücklich schätzen und vergessen, daß du mich beinahe erschlagen hättest.«

Alberich legte die Hand auf die Brust und verneigte sich.

»Das gelobe ich, edler Siegfried«, sprach er feierlich. Dann sagte er noch, das ganze Volk der Zwerge werde ihm zu Diensten sein, wenn er ihrer bedürfe, nahm mit höfischen Sitten Abschied und begab sich zurück in sein unterirdisches Reich. Siegfried aber behielt die Tarnkappe, steckte sie sorgfältig zu sich und freute sich sehr darüber.

Er blieb eine Weile bei den Nibelungen und ordnete mit den Herren des Landes die Verwaltung. Dann wählte er zwölf junge Recken aus und ritt mit ihnen fort zu neuen Abenteuern.

Nun wurde in dieser Zeit viel erzählt von den seltsamen Kampfspielen, die am Hofe der streitbaren Königin Brunhilde in Isenstein stattfanden. Die Königin besaß übermenschliche Kräfte, auf die sie sehr stolz war, und sie hatte verkünden lassen, nur wer edelster Abkunft sei und sie in drei Wettkämpfen zu besiegen vermöge, der würde sie zur Gemahlin bekommen; wer aber geschlagen würde, dessen Leben sei verwirkt. Da sie sehr schön war und Herrin eines reichen Landes, ließen sich viele edle Recken nicht abschrecken, fuhren nach Island und verloren Leib und Leben: denn keiner konnte sie besiegen.

Da gelüstete es Siegfried, sich die kriegerische Jungfrau anzusehen. Er ließ ein Schiff bereitstellen, rüstete seine Recken aus dem Nibelungenhort herrlich aus, und so fuhren sie übers Nordmeer und landeten auf Island wie eine Gesellschaft von Königen. Sie wurden von Brunhild so freundlich empfangen, wie es ihr eben möglich war: denn sie war von Natur stolz und herrisch, und ihre große Stärke und die vielen Siege hatten sie noch hochmütiger gemacht. Aber Siegfried gefiel ihr, die Fahrenden erzählten von seinen Taten, und sie wußte, daß er König Siegmunds Sohn war. So lud sie ihn ein, bei einem Wettspiel, das gerade beginnen sollte, zuzusehen. Ein fremder Fürst war weither vom Festland gekommen, um sie zu werben. Siegfried sah, wie sie den Ger schleuderte, den Stein warf und ihm leichtfüßig nachsprang. Er sah auch, wie der fremde Fürst verlor und bleichen Gesichts fortging, seinen Tod zu erwarten. Brunhild blickte Siegfried erwartungsvoll an. Ob er wohl auch gekommen war, mit ihr zu kämpfen? Sie hätte es gerne gesehen. Aber er schritt achtlos an ihr vorüber nach der Mitte des Hofes, wo der Stein noch lag, hob ihn auf und warf. Dumpf prallte der Stein an die Burgmauer. Ein vielstimmiger Aufschrei antwortete aus den Reihen der Jungfrauen und Recken um die Königin: Niemand hatte je auf Isenstein einen solchen Wurf getan! Niemand, auch die Königin nicht. Siegfried wandte sich um und beugte sich tief vor Brunhild. Dann ging er mit seinen Recken aus dem Burghof zum Strande hinab, bestieg sein Schiff und fuhr davon. »Gott bewahre mich vor dieser Frau, die mit Männerköpfen spielt«, sagte er zornig. »Ich könnte sie dreimal besiegen, wenn ich wollte, aber ich würde wahrhaftig lieber meinen Kopf verlieren als sie zur Gemahlin nehmen.«

Und er richtete das Steuer hinaus auf die offene See, die mit schweren Wogen angerollt kam, ließ sein blondes Haar im Winde fliegen und sang, und über ihm sang der Wind in den Segeln.

Als er von dieser Reise heimgekehrt war nach Xanten, sagte König Siegmund zu ihm: »Mein Sohn, wir sind nun bald alt, deine Mutter und ich, und es wird Zeit, daß das Land einen jungen König bekommt und auch eine junge Königin. Willst du dir nicht eine Frau suchen und hier mit ihr hofhalten, wie es einem Fürsten zukommt?«

Siegfried lachte. »Das hat noch viel Zeit, Vater. Solange du gesund und bei Kräften bist, mag ich nicht König sein.«

Aber am selben Abend kam ein fahrender Sänger in die Burg. Er wußte viel zu erzählen von fremden Fürstenhöfen, wo er zu Gast gewesen, von tapferen Recken und schönen Frauen, die er gesehen hatte.

»Die schönste von allen ist Kriemhild, die Tochter des verstorbenen Königs Dankrat, die Schwester der Burgundenkönige. Aber ihre Brüder hüten sie wie den kostbarsten Edelstein, und ich weiß nicht, welcher Fürst sie wohl zur Frau bekäme, vielleicht nur der Kaiser selbst. Ich habe auch gehört, daß sie lieber am Hofe zu Worms bei ihrer Mutter und den Brüdern bleiben will, als einem Fremden in ein anderes Land zu folgen. Darum werben die edelsten Recken vergebens um sie.«

So erzählte der Sänger. Siegfried saß schweigsam, und es schien, als achte er nicht viel darauf.

Aber am Morgen sagte er zu König Siegmund: „Vater, du hast mir gestern gesagt, ich sollte mir eine Gemahlin suchen. Nun, so will ich um Kriemhild freien.«

Der König war an allerlei Überraschungen gewöhnt. So

wunderte er sich auch diesmal nicht besonders. Er lächelte sogar ein wenig spöttisch.

»So – du willst also um Kriemhild freien? Und du meinst gewiß, daß du sie so einfach bekommst? Du hast zwei Dinge vergessen, scheint mir: nämlich, daß es sie gar nicht danach gelüstet, einen Gemahl zu nehmen, und daß ihren Brüdern kaum der Kaiser für sie gut genug ist.«

»Das macht mir keine Sorgen! Bin ich erst in Worms, so soll schon alles nach meinem Wunsche gehen.«

Der alte König schüttelte den Kopf: es verdroß ihn, daß sein Sohn noch immer so übermütig war.

»Sei nur nicht zu sicher! Ich kenne die Burgundenkönige und ihre Oheime Hagen und Dankwart und viele andere Recken, die an ihrem Hofe leben. Ich warne dich: Mit Gewalt wirst du Kriemhild nie erringen.«

»Oh, warum nicht?« sagte Siegfried sorglos. »Ich traue mir zu, dem Burgundenkönig Land und Leute abzunehmen, wenn ich nicht in Freundschaft erreichen kann, was ich von ihm erbitte.«

»Diese Rede ist mir leid!« fuhr ihn der König zornig an. »Du wirst in deinem Übermut noch mit dem Teufel Streit suchen!« Er fürchtete ernstlich, Siegfried würde die Burgunden beleidigen und zum Kampfe herausfordern.

Da kam ihm ein guter Gedanke.

»Aber ich will dir etwas sagen«, fügte er begütigend hinzu, »wir wollen miteinander nach Worms reiten, mit Verwandten und Freunden und großem Gefolge, und den Burgundenkönigen einen Besuch machen. Dann wird es sich ja zeigen, ob du dort als Schwager willkommen bist.«

Aber das gefiel Siegfried keineswegs. Er wollte nur mit seinen zwölf Nibelungen reiten, damit niemand etwa sagen könnte, er habe die Braut dem Ansehen seines Vaters zu verdanken. Und schließlich willigte der König ein, wenn auch ungern und mit Sorge.

So brachen eines Morgens die jungen Recken auf und ritten durch das frühlingsgrüne Land rheinaufwärts.

3

In der Burg zu Worms lebte aber die schöne Kriemhild still und glücklich unter dem Schutze ihrer Brüder Gunther, Gernot und Giselher in der treuen Obhut der alten Königin Ute und ahnte nichts von all diesen Dingen.

Da träumte sie eines Nachts, sie habe einen jungen Falken aufgezogen, der war schön, stark und wild, und sie liebte ihn sehr. Als er aber in die Luft stieg, stürzten sich zwei Adler auf ihn und zerrissen ihn. Und es schien ihr, kein größeres Leid könnte ihr geschehen.

Am Morgen war sie noch immer seltsam traurig, und wußte nicht, warum. Sie lief zu Frau Ute in die Kemenate.

»Liebe Mutter, ich hatte einen bösen Traum«, sagte sie hastig. »Sage mir doch, was er zu bedeuten hat.«

Die alte Königin hörte geduldig zu, und ihr Gesicht wurde ernst und kummervoll.

»Der Falke ist ein edler Held, den du liebst«, sprach sie und fügte leise hinzu: »Gott mag ihn beschützen, daß du ihn nicht verlieren mußt!«

Kriemhild blickte sie verwundert an. »Was meinst du damit, Mutter? Du weißt, ich will niemals einen edlen Helden lieben, denn Liebe bringt Leid, habe ich sagen hören!«

»Nun, versprich es nicht zu sehr«, meinte Frau Ute bedächtig. Sie war alt und weise und wußte vieles, was ihrer Tochter noch verborgen war. »Eines Tages wirst du doch einen edlen Ritter zum Gemahl nehmen, wenn Gott es so fügt.«

Da lachte Kriemhild schon wieder und schüttelte den Kopf, daß ihr blondes Haar flimmerte wie goldenes Gespinst.

»Nein, ganz gewiß nicht! Ich will hierbleiben bei dir und meinen Brüdern und niemals einen Gemahl nehmen, das weißt du doch!«

Die Königin lächelte: Kriemhild war noch sehr jung!

Vom Turme rief das Horn des Wächters. Eilig lief Kriemhild ans Fenster, sie hatte ihren Kummer schon vergessen. Da ritt drunten ein Häuflein Recken durchs Burgtor in den Hof. Staunend betrachtete Kriemhild die glänzenden Rüstungen, den Goldschmuck an Sätteln und Zaumzeug und die blitzenden Steine an den Helmen. Was es wohl für vornehme Herren sein mochten? Der erste saß auf einem weißen Roß. Ob er ein König war?

In diesem Augenblick sah Siegfried hinauf: er sah ein liebliches Gesicht unter blondem Haar — aber da war es schon verschwunden und das Fenster leer.

Rot und erschrocken stand Kriemhild an die Wand gedrückt, damit der fremde Ritter sie nicht mehr sähe: Er sollte nicht denken, die Königin von Burgunden sei neugierig wie eine Dienstmagd!

Drunten liefen die Knechte über den Hof, den Recken die Pferde abzunehmen.

Siegfried sprang ab, aber er hielt sein Roß am Zügel.

»Wartet noch!« befahl er den Knechten. »Wir wollen unsere Pferde und Waffen noch eine Weile behalten. Aber sagt mir, wo ich den König von Burgunden finde!«

»Dort im großen Saale, edler Ritter.« Der Knecht wies nach den hohen Fenstern in der Mitte der Burg. »Da findest du König Gunther und die anderen Herren.«

Droben im Saale saßen die Könige Gunther, Gernot und Giselher, denen ihr Vater Dankrat sein Reich hinterlassen hatte, mit ihren Verwandten und vielen Rittern.

Da war Hagen von Tronje, der Oheim der Könige, finster, einäugig, schweigsam, aber seinen Herren treu bis in den Tod. Sein Bruder, den sie den »schnellen Dankwart« hießen, der Truchseß Ortwin von Metz, die Markgrafen Gere und Eckewart, Hunolt, der Kämmerer, und Volker, der ritterliche Spielmann.

Gewichtig saß Rumold, der Küchenmeister, da, ein dicker Mann und fröhlichen Gemütes, neben ihm Sindolt, der Mundschenk, dem der Keller unterstand.

Die Herren hatten die Ankunft der fremden Ritter wohl beobachtet, aber niemand kannte sie.

Hagen sah nachdenklich durchs Fenster. »Ich habe zwar Siegfried von Niederlanden nie gesehen«, sagte er schließlich, »aber ich möchte wetten, daß es der Recke auf dem weißen Pferde ist. Auch die Rüstungen stammen vom Niederrhein. Nehmt euch in acht! Wo Siegfried hinzukommt, gibt es Abenteuer! Aber«, fügte er plötzlich hinzu, »ich meine, wir müssen ihn und seine Gesellen freundlich empfangen, denn es ist besser, ihn zum Freunde zu haben als zum Feinde!«

»Du hast recht«, entschied König Gunther, »wir wollen hinuntergehen und sie willkommen heißen.« Und er schritt mit großer Würde an der Spitze der burgundischen Herren die Stiege hinab und auf die fremden Gäste zu. Man verneigte sich auf beiden Seiten so tief und höflich, wie die Sitte es verlangte. Die Gesichter waren ernst und zeigten keine Neugier.

Siegfried betrachtete den König der Burgunden verstohlen, und plötzlich erging es ihm so, wie es leider noch manchmal geschah: Er fiel in den alten Übermut seiner Jugendzeit zurück. Seine Recken, die ihn gut kannten, sahen, wie seine Augen zu blitzen anfingen, und wußten, daß ihn seine gefährliche Laune gepackt hatte. Sie waren auf ihrer Hut: denn zuweilen geschah sehr schnell etwas, wenn ihr Herr in solcher Laune war.

»Sei willkommen, edler Siegfried«, sagte Gunther, »ich freue mich, den Sohn König Siegmunds bei mir zu sehen. Wollt ihr nicht eure Waffen ablegen?« Er winkte den Knechten.

»Nein«, sprach Siegfried ruhig, »es könnte sein, daß wir sie bald brauchen. Denn, siehst du, König Gunther, bei uns in Niederlanden erzählt man viel von dir und deinen tapferen Rittern. Ich habe sagen hören, es gäbe keinen kühneren Fürsten als den König von Burgunden, und auch deine Recken hätten an Tapferkeit nicht ihresgleichen. Da wollte ich nun sehen, ob dies alles wahr wäre: deshalb sind wir nach Worms geritten.« Er lächelte sehr freundlich zum König hinunter, der um einen halben Kopf kleiner war als er.

Gunthers Gesicht bekam einen verwirrten Ausdruck, als hätte Siegfried in einer fremden Sprache zu ihm geredet. Er begriff ganz und gar nicht, was diese sonderbare Begrüßung bedeuten sollte, und auch die Burgunden blickten verständnislos drein.

Aber Siegfried sprach weiter, als wäre dies ein alltägliches Gespräch: »Bist du wirklich so kühn, wie man von dir sagt, so will ich mit dir kämpfen um alles, was du hast, und ich traue mir zu, dir Land und Leute abzunehmen.«

Gunther quollen beinahe die Augen aus dem Kopfe. Hatte dieser merkwürdige Gast den Verstand verloren? Oder was fiel ihm sonst ein, an seinem eigenen Hofe so mit ihm zu reden?

»Was hast du da gesagt?« fragte er heiser, und der Zorn stieg ihm rot zu Kopfe. »Du meinst doch nicht, daß ich um das Erbe meines Vaters, das mir zu Recht gehört, mit einem Fremden kämpfen werde?«

Siegfried warf einen raschen Blick auf die burgundischen Ritter. Ihre höfische Haltung war jäh feindlich geworden. Er schüttelte begütigend den Kopf, als hätten sie ihn falsch verstanden. Seine Hand spielte lässig mit der weißen Mähne seines Pferdes.

»Höre mich an, König Gunther«, fuhr er fort, »ich will in diesem Kampf mein Land gegen das deine setzen. Besiegst du mich, so ist mein ganzes Erbe dein. Unterliegst du aber, so gehört mir Burgundenland.« Er schwieg, und ein paar Augenblicke herrschte eine fürchterliche, drohende Stille.

Gunther hatte die größte Lust, sein Schwert zu ziehen und diesen kühnen jungen Fremdling zu züchtigen. Aus dem Kreise der Burgunden fielen böse Worte. Gernot und Hagen sprachen leise miteinander. Dann zuckte Hagen die Schultern und wandte sich ab.

Gernot versuchte zu vermitteln. »Warum willst du diesen Kampf, Herr Siegfried?« »Du hast ein reiches Land und wir. Ich sehe keinen Grund zu kämpfen!«

Nun aber verloren die burgundischen Ritter die Geduld: Sie fühlten sich für ihren König beleidigt und verpflichtet, für seine Ehre einzutreten.

Ortwin von Metz schob sich nach vorne: Er war stark wie ein Auerochse und sein Wesen keineswegs sanftmütig. »Siegfried hat dich ohne Grund beleidigt, König Gunther«, sagte er wütend. »Erlaube mir, an deiner Statt mit ihm zu kämpfen! Ich getraue mich wohl, ihm zu beweisen, daß die Burgunden sich nicht ungestraft beleidigen lassen.«

Siegfried wandte sich rasch zu ihm. »Ich kämpfe nicht mit dir, denn ich bin ein König, und du bist eines Königs Dienstmann.« Ortwin fuhr auf wie ein gereizter Tiger. Seine Hand griff nach dem Schwerte. Aber Gernot hielt ihn zurück und mahnte noch einmal zum Frieden. Da tat zum ersten Male Hagen den Mund auf: Er war bis jetzt düster und schweigsam abseits gestanden.

»Es wäre besser für uns alle, wenn Siegfried nicht nach Worms gekommen wäre, um Streit zu suchen. Meine Herren haben ihm nichts getan. Nun aber kann es leicht geschehen, daß dies alles uns noch sehr leid tun wird.« Damit wandte er sich zum Gehen. Aber sein Fuß stockte augenblicklich wieder. Denn Siegfrieds Stimme sagte spöttisch hinter ihm: »Es ist sehr schade, daß du gehen willst, Herr Hagen, denn ich hätte gerne gewußt, ob dein Schwert ebensogut ist wie Balmung!«

Hagen hob den gewaltigen Schädel wie ein angegriffener Bär. Es wurde jäh still unter den Burgunden, und selbst die Nibelungenrecken hielten den Atem an: Sie wußten alle, daß jetzt der Friede nur mehr an einem sehr dünnen Faden hing. Siegfrieds Gesicht war hart und wachsam geworden. Hagen drehte sich langsam um, langsam ging er ein paar Schritte auf Siegfried zu, während er nach dem Schwerte griff.

Aber da geschah etwas, das niemand erwartet hatte. Neben König Gunther war die ganze Zeit ein junger

Recke gestanden, fast ein Knabe noch. Er war blond wie Siegfried und sein Gesicht hell und offen. Nun trat er vor, gerade vor Hagen hin, eine leise Röte stieg ihm ins Gesicht – sein Tun mochte ihm im Kreise der älteren Männer wohl selbst ein wenig vermessen erscheinen. Dennoch ging er mit einer Ritterlichkeit, die ihm angeboren war, auf Siegfried zu, verneigte sich und stand, noch ein wenig schmal in den Schultern, dicht vor ihm, Hagen den Weg versperrend: Giselher, der jüngste Burgundenkönig.

»Sei willkommen, Herr Siegfried, mit allen deinen Heergesellen!« sprach Giselher. »Willst du unser Freund sein, so bleibt als liebe Gäste am Hofe zu Burgunden.«

Siegfried wußte nicht, wie es geschah. Er sah den ritterlichen Jüngling an, und mit einem Male war sein Übermut dahin. Etwas wie Beschämung überkam ihn. Wahrhaftig, er war doch nicht nach Worms gekommen, um Streit zu suchen, sondern um die junge Königin zu gewinnen!

Er streckte dem jungen Fürsten die Hand hin.

»Ich danke dir, Giselher. Ich bin euer treuer Geselle, wenn ihr mich haben wollt!«

Die Gefahr war vorüber. Gunther atmete auf: denn seine Begierde nach einem Kampfe war angesichts der Dinge, die er über Siegfried wußte, nicht sehr groß. Aber er hätte ihn auch kaum ohne Schaden an seiner Ehre vermeiden können.

So war es noch einmal gut ausgegangen, und anstatt zu den Schwertern durfte man zum Becher greifen.

Im großen Saale fand ein Willkommenstrunk statt, und beim Wein wurden die zornigen Männer allmählich fröhlich und mild und schworen einander treue Freundschaft. Aber am nächsten Morgen wußten sie nichts mehr davon, und auch nicht, wie und wann sie in ihre Herbergen gekommen waren. Dafür wußten die Knechte einiges davon.

Nun begann ein fröhliches Treiben am Hofe zu Worms. Die burgundischen Ritter waren stark und tapfer, aber keiner schoß den Speer und stieß den Stein so weit wie Siegfried, und im Turnier fanden sich seine Gegner immer wieder drunten auf dem Rasen: Sie wußten nicht, wie es zugegangen war.

Droben stand dann immer Kriemhild am selben Fenster. Siegfried sah oft verstohlen hinauf, denn wenn sie es bemerkte, verschwand sie sogleich. Die Mägdlein von Frau Utes Hofstaat schauten sich die Augen aus nach dem Helden von Niederlanden und wußten ihn nicht genug zu rühmen. Kriemhild schwieg zu diesen Lobpreisungen, aber sie dachte viel an Siegfried, und er gefiel ihr sehr.

Ihn aber verdroß es allmählich, daß er sie nur immer so aus der Ferne sehen konnte. Sie kam nie in den Rittersaal, und er durfte nach höfischer Sitte nicht unaufgefordert in die Gemächer der Frauen kommen.

So verging die Zeit, und er wartete immer noch. Manchmal beschloß er, Gunther einfach zu bitten, er möge ihm seine Schwester zur Frau geben. Aber er war beileibe nicht sicher, was der König dazu sagen würde: Da ließ er es wieder sein, denn er wollte nicht abgewiesen werden.

Eines Tages aber fand das fröhliche Treiben zu Worms ein jähes Ende.

Ein Trupp fremder Reiter trabte die Heerstraße nach der Stadt.

Sie ritten in die Burg und verlangten, vor den König geführt zu werden.

Gunther betrachtete sie erstaunt mit gerunzelter Stirn.

»Seid willkommen«, sprach er kurz, »aber ich kenne euch nicht und weiß nicht, wer euch sendet.«

Einer trat vor.

»Herr«, begann er, »uns senden die edlen Könige Lüdeger von Sachsen und Lüdegast von Dänemark. Sie wollen innerhalb zwölf Wochen mit großer Heeresmacht in Burgunden einfallen. Hast du also Freunde, so sende schnell nach ihnen, denn du wirst Hilfe brauchen! Willst du aber mit meinen Herren verhandeln, so magst du es ihnen sagen lassen. Das ist unsere Botschaft.«

König Gunther hatte den Boten erstaunt angehört, denn er lebte mit den beiden Königen nicht in Feindschaft.

Aber er wußte, daß diese Nachricht ernst war, denn Burgunden erschien wohl manchem raublustigen Nachbarn als ein recht fetter Bissen.

Er befahl den Männern zu warten, schickte nach Gernot und Hagen und hieß die Boten ihren Auftrag zu wiederholen.

Gernot nahm es leicht. »Gut, so sollen sie ihren Kampf haben! Wir wollen sie mit unseren Schwertern schon empfangen, daß sie ein zweitesmal gewiß nicht wiederkommen!«

Hagen betrachtete seinen königlichen Neffen mit einer spöttischen Grimasse.

»So, meinst du? In zwölf Wochen kann also dein Kampf beginnen? Womit denn, frage ich dich? Sind wir vielleicht gerüstet? Oder unsere Ritter, die so lange – viel zu lange, bei Gott! – friedlich auf ihren Burgen gesessen sind und dicke Bäuche bekommen haben! Nein, König Gunther, so einfach scheint mir diese Sache nicht, daß wir sie stehenden Fußes entscheiden könnten. Laß den Boten Herberge anweisen, ich will unsere Freunde zusammenrufen.« Er ging verdrießlich fort, denn dieser Krieg gefiel ihm nicht.

Allein geblieben, schritt Gunther sorgenvoll auf und ab. Hagen hatte ja leider recht. Aber . . . er sah plötzlich, daß jemand in der Tür stand. Ein Harnisch leuchtete in der sinkenden Dämmerung, und die Ringe der Rüstung klirrten silbern, als der Recke auf den König zuging. Er erkannte Siegfried.

Der sah ihn forschend an. »Ist etwas geschehen, König Gunther? Du siehst nicht gerade fröhlich aus; verzeihe, wenn ich das sage.«

Gunther erzählte. Aufmerksam hörte Siegfried zu.

»Mache dir keine Sorgen«, sprach er dann. »Vor allem sollst du eines wissen: Ich stehe dir bei in jedem Kampfe und gegen alle deine Feinde. Das schwöre ich, und es soll gelten bis an meinen Tod.«

Er hatte es mit tiefem Ernst gesagt, und Gunther fühlte wohl, daß er es ehrlich meinte.

»Das lohne dir Gott, Herr Siegfried, und ich will es dir mein Leben lang nicht vergessen.« Auch Gunther meinte es in diesem Augenblick ehrlich, aber er hatte ein wankelmütiges Herz und vergaß es eines Tages dennoch. Und daraus sollte viel Unheil entstehen.

»Wenn du mir tausend tapfere Männer ausrüstest«, fuhr Siegfried fort, »und wenn Hagen, Dankwart und deine anderen Recken mit uns reiten, so wollen wir mit den Sachsen und Dänen schon fertig werden.« Das schien dem König sehr tröstlich. Und als nun mit erwartungsvollen Gesichtern, kampfesfroh, einer nach dem anderen, seine Recken eintraten, war er schon wieder ganz zuversichtlich und teilte ihnen mit, daß er beschlossen habe, den Kampf anzunehmen. Er schickte nach den Boten und nahm in seinem Thronsessel Platz, zu seiner Rechten stand Siegfried, zur Linken Gernot und im Umkreis die Burgunden. Als die Abgeordneten eintraten, sahen sie sich mit Unbehagen dieser ernsten, feierlichen Versammlung gegenüber, die sie keineswegs freundlich musterte. Unsicher schritten sie durch den weiten Saal nach vorne, und ihre Verbeugungen fielen sehr tief aus. Gunther betrachtete sie eine Weile schweigend mit gefurchter Stirn.

»Ich habe euch gleich wieder rufen lassen«, sagte er dann in strengem Ton, »weil es über eure Botschaft nicht viel zu besprechen gab. Ich wünsche mit euren Herren nicht zu unterhandeln! Wollen sie den Kampf, so werden sie die Folgen tragen.«

Er wandte sich zu Siegfried. »Willst du ihnen sagen, was sie ihren Königen auszurichten haben?«

Siegfried ging ohne Eile ein paar Schritte auf die Boten zu.

»Hört zu«, begann er ruhig, und seine Stimme war beinahe freundlich, »der König von Burgunden läßt euren Herren dieses sagen: Sie werden niemals an den Rhein kommen, es sei denn als Gefangene. Wir aber werden bald in ihrem eigenen Land ihre Gäste sein. Ihr könnt heimreiten!«

Die Boten hörten das verdutzt und mit langen Gesichtern an, denn diese Botschaft erschien ihnen recht wenig ehrenvoll. Dazu mußten sie aus dem Kreise der burgundischen Herren allerhand unfreundliche Worte über ihre Könige hören, und so waren sie schließlich froh, daß sie gehen konnten. Sie hatten es aber nicht besonders eilig heimzukommen, denn sie fürchteten, daß ihre Herren keine große Freude an ihnen haben würden.

Und damit irrten sie sich nicht.

König Lüdegast von Dänemark runzelte gewaltig die Stirn unter dem weißblonden Haar, als ihm die Abgesandten ihre Botschaft wiederholten.

»Herr«, fügte der Sprecher entschuldigend hinzu, »sie haben viele starke und zornige Recken dort am Rhein. Aber neben König Gunther stand einer, der war schlimmer als alle anderen: sie nannten ihn Siegfried von Niederlanden.«

Lüdegast fuhr auf den erschrockenen Boten los wie ein zorniger Eber: »Was sagst du da?«

»So hieß er, Herr«, sagte der Mann, entsetzt vor dem königlichen Grimm, und verzog sich eilig.

Lüdegast fuhr im Thronsaal hin und her wie ein Ungewitter. Er mochte sich nicht gerne eingestehen, daß ihm diese Heerfahrt an den Rhein verleidet war. Hatte der Teufel wahrhaftig Siegfried von Niederlanden nach Worms geführt, den er am allerwenigsten dort brauchen konnte! Aber nun gab es kein Zurück mehr: denn als seine Ritter das hörten, rüsteten sie mit noch mehr Eifer, und so zog eines Tages ein starkes Heer von Dänemark aus, trotz aller bösen Ahnungen, die den König plagten.

Auch Lüdeger von Sachsen hatte inzwischen seine Streitmacht aufgestellt, und die zwei mächtigen Heerhaufen brachen miteinander gegen Burgundenland auf.

Dort hatte man in höchster Eile gerüstet. Es war freilich ein winziges Häuflein von Kriegern gegen die Massen der Sachsen und Dänen: aber es hatte die stärksten und tapfersten Recken und die besten Knechte, und sie waren trotz der langen Friedenszeit weder dick noch faul geworden.

Zuerst wollte Gunther selbst sein Heer führen, aber Siegfried riet ihm ab. »Bleibe in Worms zum Schutze der Frauen und der Ordnung im Lande. Wir werden deine Ehre und dein Land getreulich verteidigen«, sprach er – und schließlich willigte der König ein.

So zogen sie eines Morgens in der Dämmerung aus: Siegfried und seine zwölf Nibelungen; Hagen, der übler Laune war, weil er meinte, Siegfried gewinne allmählich zuviel Einfluß auf den König und stelle den Ruhm der Burgunden in den Schatten; Volker, der die Fahne trug; Sindolt, Hunolt, Dankwart und Ortwin von Metz mit den Abteilungen des Kriegsvolkes. Rumold, der Küchenmeister, war zwar auf die Kunde von der Heerfahrt zur Rüstkammer gegangen und hatte seinen feisten Bauch mit Mühe in einen Harnisch gezwängt; aber dann mußte er auf Befehl des Königs zu seinem Leidwesen daheim bleiben.

Das kleine Heer ritt durch Hessen nach Sachsen hinein und eroberte Burgen und Ortschaften: Denn niemand war zur Verteidigung gerüstet, weil niemand den Angriff der Burgunden erwartet hatte. Das erschrockene Bauernvolk flüchtete in die Wälder, und vom Heer der Sachsen und Dänen war noch nichts zu sehen.

Aber eines Tages meldeten vorausgesandte Späher, die Feinde hätten jenseits des Waldes, der gerade vor ihnen lag, ein riesiges Lager aufgeschlagen und schienen sich zum Angriff zu rüsten. Da machten die Burgunden halt.

»Nun will ich selbst auf Kundschaft reiten«, sprach Siegfried und lenkte sein Roß dem Walde zu. Es war ein schöner Tag, und der Himmel hing wie blaue Seide über den Bäumen. Ein flacher Hügel stieg vor ihm an, und der Wald wurde allmählich lichter. Siegfried ritt den Hang hinauf. Aber plötzlich riß er mit einem Ruck sein Pferd zurück: Jenseits des Hügels dehnte sich eine weite Ebene, und drunten war das Heerlager aufgeschlagen. Was war das für ein ungeheures Gewimmel von Menschen und Pferden da draußen! Wie viele Tausend Mann mochten es wohl sein? Siegfried sah angestrengt hinüber, aber er war noch zu weit entfernt. Vielleicht konnte er im Schutze der Bäume ein wenig näher reiten ...

In diesem Augenblick traf von der Seite her ein helles Blitzen seine Augen, und zugleich fühlte er, wie sein Pferd zusammenzuckte und die Ohren spitzte. Er fuhr herum und griff nach dem Schwerte: Nicht weit von ihm auf dem Hügel hielt ein anderer Recke auf einem riesigen rostroten Roß, und sein Schild blitzte in der Sonne.

»Es muß ein sehr vornehmer Ritter sein«, dachte Siegfried, als er die herrliche Rüstung sah. Aber da spornte der Fremde schon sein Roß gegen ihn. Siegfried riß Balmung aus der Scheide, sein Pferd begriff sofort, warf sich herum und flog dem fremden Reiter entgegen. Der Boden dröhnte unter den Hufen, und im nächsten Augenblick prallten sie so hart aufeinander, daß das rote Roß in die Knie sank. Aber es war gleich wieder auf, und nun begann ein furchtbarer Kampf. Der fremde Recke war riesengroß und stark wie ein Bär, und Siegfried fühlte seinen Kopf unter dem Helm dröhnen von den wüsten Schlägen des Gegners. Siegfried war schnell und behend, seine Sehnen wie Stahl, und Balmung war das beste Schwert, das es gab. Der goldene Schild fiel entzweigehauen zu Boden, die blitzende Rüstung des fremden Ritters hatte klaffende Risse, aus denen Blut sickerte. Aber er kämpfte noch immer mit verbissener Wut. Ein furchtbarer Hieb traf Siegfried auf den Helm und warf ihn beinahe vom Pferd. Aber nun faßte er Balmung mit beiden Händen und schlug mit aller Kraft zu. Das Schwert flog dem Fremden aus der Hand weit ins Gras, und der Reiter stürzte kopfüber vom Roß und blieb liegen.

Siegfried sprang ab und öffnete ihm den Helm. Der Verwundete starrte ihn verwirrt an, denn seine Sinne waren noch trübe von dem Sturz.

Aber allmählich kam wieder Licht in seine glanzlosen Augen. »Ich kenne dich«, sprach er mühsam, »du bist Siegfried von Niederlanden. Niemand sonst kann mich besiegt haben, denn ich bin König Lüdegast von Dänemark, den noch kein Recke vom Pferde gestochen hat. Nun biete ich dir mein Land, und du magst mein Leben schonen«, schloß er müde und verdrossen.

Siegfried war von Herzen fröhlich über diesen Sieg. Er half dem König auf das Pferd und wollte ihn eilig fortführen, ehe man im Lager erkannte, was geschehen war, und aufbrach, ihn zu verfolgen.

Aber so leicht sollte er nicht davonkommen. Denn schon dröhnte der Boden von vielen Hufschlägen, und ein Häuflein von Lüdegasts Recken jagte über den Hügel heran, ihren König zu befreien.

Nun half es nichts, es mußte von neuem gekämpft werden. Eilig und ein wenig hart wurde der verwundete König wieder ins Gras gelegt, und Siegfried wandte sich, Balmung in der Faust, den neuen Feinden zu. Wie Hagel prasselten Hiebe von allen Seiten auf ihn nieder. Sein Harnisch klaffte schon an vielen Stellen. Wunderbare Haut aus Drachenblut, ohne sie käme man nicht lebend aus diesem Kampf heraus! Gutes Schwert Balmung, du schneidest durch Stahl und Stein und Drachenschuppen! Einer nach dem anderen sanken die dänischen Ritter ins Heidekraut und erhoben sich nimmer. Den letzten schickte Siegfried zurück ins Lager der Feinde, zu melden, was geschehen war.

Lüdeger tobte, als er erfuhr, daß sein Bundesgenosse gefangen war, aber das nützte nun nichts mehr: denn Siegfried war inzwischen eilends mit seinem Gefangenen ins Lager der Burgunden geritten, wo er ihn Hagen übergab. Dann aber ließ er das kleine Heer sofort aufbrechen, denn er wußte wohl, daß die Feinde gewiß schon unterwegs waren, die Schmach zu rächen und den Dänenkönig zu befreien.

Moos und Erde flogen unter den Hufen ihrer Rosse, dann

jagten sie aus dem Walde ins freie Feld hinaus, wo der Staub im Nu wie eine dicke Wolke über Roß und Reiter hing.

Inzwischen hatten sich aber auch die Feinde schon in Bewegung gesetzt, und es sah, bei Gott, bedrohlich genug aus, wie sich das riesige Heer über die Ebene gegen das Häuflein der Burgunden heranschob.

Weit voraus ritten Siegfried und seine zwölf Nibelungen, wie ein Ungewitter fielen sie über die Sachsen und Dänen her. Hagen kämpfte in einem wüsten Knäuel von Rossen und Reitern, Volker und Dankwart bahnten sich Seite an Seite einen Weg mitten in die Feinde hinein.

Siegfried riß seinen Hengst hoch, daß er auf den Hinterbeinen stand und mit den Vorderhufen in die Luft hieb. Ringsum nur mehr Feinde, Schwerter über ihm, geschlossene Helme, Rüstungen, aus denen es da und dort rot sickerte. Wurfspeere flogen, Balmung blitzte, schlug . . ., der Schild fing Schlag auf Schlag, dicht wie Hagel, der Harnisch war förmlich zerfetzt.

In diesem Augenblick sah Siegfried über die Köpfe der Feinde hinweg einen Recken in glänzender Rüstung mit einer Krone als Helmzier.

»Das ist König Lüdeger von Sachsen, den muß ich haben!« fuhr es ihm wie der Blitz durch den Kopf, und er versuchte sogleich, sein Roß nach der Richtung zu drängen. Es gelang ihm nicht: Die Sachsen umgaben ihn wie eine Mauer. Aber nun mußte Lüdeger ihn gesehen und erkannt haben. Er rief einen lauten Befehl über das Getümmel hin. Im nächsten Augenblick entstand eine Gasse zwischen den Pferdeleibern. Der Sachsenkönig stürmte heran. Sein Kopf rauchte vor Zorn, denn es erschien ihm schmachvoll, daß dieser Fremdling vom Niederrhein seinen Freund gefangen hatte, ehe noch der Kampf begann. Rachbegierig stürzte er sich auf Siegfried, und da seine Wut so groß war, gerieten seine Schläge mit fürchterlicher Wucht. Siegfrieds Pferd strauchelte, er riß es in die Höhe.

Ganz nahe erblickte er plötzlich Hagen und Gernot, die sich zu ihm durchgeschlagen hatten. Andere Kämpfer warfen sich zwischen ihn und Lüdeger. Aber der Sachsenkönig griff immer wieder wütend an, obwohl sein Atem schon vor Anstrengung keuchte. Allmählich fühlte er aber doch, wie seine Kräfte abnahmen. Balmung hatte ihm ein paar tiefe Wunden geschlagen. Sein Roß bäumte sich jäh auf und brach unter ihm zusammen. Da sprang auch Siegfried ab, und sie kämpften zu Fuß weiter. Volker und Ortwin drängten sich an seine Seite.

Die Sachsen schlugen sich tapfer für ihren König. Aber Lüdeger war nun am Ende. Er senkte sein Schwert. »Laßt ab«, sprach er erschöpft und atemlos zu seinen Rittern, »der Teufel hat nun einmal Siegfried von Niederlanden hergeführt! Nun nützt alles nichts. Wir müssen uns ergeben.«

Da senkten sich auf Befehl der Führer die Fahnen auf beiden Seiten. Der Friede wurde beschlossen. König Lüdeger mußte freilich als Geisel mit an den Rhein, seinem Freund Lüdegast zur Gesellschaft.

Die sieglosen Recken aus Sachsen und Dänemark rüsteten mit hängenden Köpfen zur Heimfahrt.

Man begrub die Toten, verband und pflegte die Verwundeten, die Kriegsbeute wurde gesammelt und auf die Wagen geladen, und dann machte sich auch das burgundische Heer zur Heimkehr bereit. Gernot sandte einen Boten voraus nach Worms, dem König und den Frauen die Siegesnachricht zu bringen.

Gunther fiel ein großer Stein vom Herzen: Es hatte ihn doch die ganze Zeit die Sorge recht geplagt und nicht gut schlafen lassen. Er belohnte den Boten reichlich und schickte ihn zu den Frauen, damit auch sie schnell die gute Kunde hören sollten.

Kriemhild stand neben ihrer Mutter, ihre Augen leuchteten wie Sterne, und ihre Wangen waren rot und heiß. Der Bote erzählte. Er hätte immer weiter erzählen sollen, denn die junge Königin konnte gar nicht genug hören. Es war sehr schön, daß Gernot und die anderen alle zurückkamen und so tapfer gekämpft hatten gegen diese furchtbare Übermacht! Aber es war noch viel schöner, was der Bote über Siegfried erzählte: wie er den Dänenkönig besiegt und gefangen, wie er in der Schlacht Wunder an Tapferkeit getan und endlich den Kampf entschieden und Lüdeger bezwungen hatte. Aber einmal wußte er beim besten Willen nichts mehr zu erzählen, und so mußte Kriemhild ihn doch endlich gehen lassen. Sie gab ihm einen Beutel Goldes, und er schob sich mit einem tiefen Bückling rücklings aus der Tür.

»Es lohnt sich, reichen Frauen gute Botschaft zu bringen«, dachte er schmunzelnd und befühlte das dicke Ledersäcklein.

Die Bürger der guten Stadt Worms hatten wieder etwas zu schauen, zu staunen und zu bereden, als das siegreiche Heer heimkehrte. Die Männer standen unter den Türen und urteilten behäbig und mehr oder weniger klug, wie es Gott ihnen eben zugeteilt hatte. In den Fenstern lehnten die Frauen und Mädchen, in den Straßen liefen die Buben hinter und neben dem Troß her, schrien vor Bewunderung über die zerbeulten Helme und die verbogenen Schilde der Ritter und über die vielen Wagen voll Beute.

In der Burg empfing der König seine Freunde mit großen Ehren. Die müden Ritter erhielten die beste Herberge angewiesen, Wundärzte walteten ihres Amtes, das Kriegsvolk mußte mit Met und Wein und Fleisch bewirtet werden, wobei es alsbald recht fröhlich zuging.

Nach ein paar Tagen Rast brachen die burgundischen Ritter allmählich auf nach ihren Burgen. Der König lud alle zu einem großen Siegesfeste, das sechs Wochen später stattfinden sollte, wenn auch die Verwundeten wieder geheilt sein würden.

Auch Siegfried ging zu König Gunther, um Abschied zu nehmen. Aber er war nicht frohen Mutes wie sonst nach einem Siege: Denn der Wunsch, mit dem er nach Worms gekommen war, hatte sich nicht erfüllt. Er hatte mit der jungen Königin noch nicht ein einziges Wort gesprochen.

Gunther tat es leid, daß Siegfried fortreiten wollte: denn er hatte den jungen Helden schätzengelernt. Es war ihm auch nicht verborgen geblieben, daß sein Gast oft heimlich zu Kriemhilds Fenster hinaufblickte, und er machte sich mancherlei Gedanken darüber. So redete er Siegfried zu, doch bis zum Feste in Worms zu bleiben, und das erreichte er freilich ohne viel Mühe.

Nun begann ein großes Vorbereiten in der Burg.

»Ratet mir alle«, sprach Gunther, »wie wir unser Fest würdig und fröhlich feiern und unsere Gäste ehren können!«

Der eine wußte dies, der andere das, und sie hatten schon eine Menge Pläne, da fiel Ortwin noch etwas ein: »Wenn du deinen Gästen eine große Ehre erweisen willst, so bitte die Frauen, zu Hofe zu kommen!«

Das schien auch dem König ein guter Gedanke, und er ließ der alten Königin Ute Botschaft sagen.

So kam am ersten Tag des Festes, als die Helden des Sachsenkrieges im großen Saal versammelt waren, Kriemhild mit ihrem Hofstaat herüber, um sie zu begrüßen.

Sie trat ein, begleitet von ihren Kämmerern und den Töchtern der vornehmsten burgundischen Ritter. Es wurde ganz still in der Versammlung. Die Männer verbeugten sich tief und traten nach den Seiten zurück, um den Weg zum Hochsitz freizugeben. Langsam ging Kriemhild hinauf durch den Saal, ein wenig scheu vor den vielen Männern. Sie war so schön in ihrem Gewand aus weißer Seide und dem reichen Goldschmuck, daß alle sie nur immerfort ansehen mußten.

Siegfried stand neben Giselher. Er vergaß, was er eben im Begriffe war zu sagen. Mitten in der Rede wurde er still. Gunther blickte ihn an und lächelte. Siegfried sah aus, als hätte er überhaupt vergessen, daß außer Kriemhild noch jemand da war. Sie begrüßte da und dort einen Ritter, den sie kannte, dann kam sie zu ihren Brüdern herauf.

Einen Augenblick strahlten ihn ihre Augen an, als sie Siegfried die Hand reichte, aber sie verschwanden eilig wieder unter den gesenkten Lidern.

Da sagte Gernot neben ihm zu König Gunther: »Ich meine, Herr Siegfried hätte es wohl um uns verdient, daß unsere Schwester ihm mit einem Kuß dafür dankt, daß er für uns den Krieg in Sachsen gewonnen hat.«

»Ja, ich bitte dich, tue das, liebe Schwester«, sprach Gunther fröhlich. Sie verhielt nur ein wenig den Schritt, kaum merkbar. Eine helle Röte flog über ihr Gesicht. Sie wandte sich Siegfried wieder zu.

»Ich danke dir, edler Siegfried«, sagte sie leise, »du hast meinen Brüdern und dem Lande geholfen. Ich will es dir nie vergessen, und Gott lohne es!« Als sie ihn küßte, wußte Siegfried, daß er nicht vergebens an den Rhein gekommen war.

Im Erker lehnte König Lüdegast, von seinen Wunden kaum genesen und recht übler Laune. Mit scheelen Augen sah er sich die Begrüßung an, und sein riesiger Bart zitterte zornig. »Das ist ein teurer Kuß«, knurrte er böse Lüdeger ins Ohr. »Da ist viel Blut dafür geflossen, und ich kann, bei Gott, selber ein Liedlein davon singen!« Das konnte er freilich, denn es gab noch immer viele Stellen an seinem Leibe, die ihm greulich weh taten. Auch wäre er gerne wieder heimgefahren.

Aber nun hatte das Siegesfest begonnen und dauerte zwölf Tage mit viel Kurzweil, Schmaus und Wein.

Als es zu Ende war, kam Lüdeger zu König Gunther. Das Lösegeld, das er für sich und seine Mitgefangenen bot, war so hoch, daß es selbst dem reichen Burgundenkönig ungeheuer erschien. Auch versprach er ewigen Frieden.

Gunther ging zu Siegfried und fragte ihn um Rat. »Nimm sein Gold nicht«, sprach Siegfried, »schenke ihnen die Freiheit und laß sie heimfahren, dann hast du dir Freunde gewonnen!« Und so geschah es auch.

4

Allmählich nahmen die Gäste alle Abschied, nur Siegfried blieb noch immer. Er mochte nicht heimfahren, bevor er mit Gunther über Kriemhild gesprochen hatte, und es schien ihm immer noch ungewiß, ob ihm der König wohl seine schöne Schwester zur Frau geben würde.

Da kam ihm Gunther selbst zu Hilfe, denn er trug sich schon seit einiger Zeit mit einem Plan, der ihm viel Kopfzerbrechen machte: Und er wußte nicht, ob er mehr Freude oder mehr Sorgen davon hatte.

Auch am Hofe zu Worms war nämlich oft erzählt worden von Brunhild, der bildschönen, streibaren Königin, die jenseits des Nordmeeres über Island herrschte, und von den Kampfspielen in Isenstein, bei denen man sich die Braut oder den Tod erkämpfte. Wenn Gunther darüber nachdachte, wurde es ihm freilich recht kühl ums Herz. Aber dennoch ließ es ihm keine Ruhe, und eines Tages teilte er seinen Freunden mit, er gedenke über See zu fahren nach Island und die Königin heimzuführen. Die Burgunden hörten diese Nachricht ungern: Denn bis jetzt hatte niemand Brunhild besiegt, und sie zweifelten mit gutem Grund daran, daß es ihrem König gelingen würde.

Siegfried aber starrte Gunther an, als hätte dieser den Verstand verloren. Dann lachte er laut: »Davon muß ich dir abraten, König Gunther. Diese Königin da droben auf Isenstein hat wunderliche Sitten, sage ich dir. Und willst du nicht in kurzem ein toter Mann sein, so bleibe daheim und schlage dir diese Braut aus dem Kopfe.«

Gunther aber wollte nichts davon hören. Da wurde Siegfried ernst. »Laß dich warnen, du kennst ihre Stärke nicht, ich aber kenne sie, denn ich war schon einmal auf Island, und ich habe die kühnsten Helden sterben sehen um dieser Frau willen, deren Herz so hart sein muß wie der Fels von Isenstein.«

Hagen wiegte nachdenklich den mächtigen Schädel. Er kannte seinen Neffen Gunther genau und wußte, daß ihn nun erst recht nichts mehr von seinem Vorsatz abbringen konnte.

»Nun, wenn du es nicht lassen kannst, so mußt du eben fahren«, sagte er achselzuckend. »Aber dann gebe ich dir einen Rat: bitte Siegfried, dich zu begleiten, denn ich habe eine Ahnung, daß du da droben Freundeshilfe bitter nötig haben wirst!«

»Das wollte ich schon tun«, wandte sich Gunther voll Eifer an Siegfried. »Willst du mein Geselle sein auf dieser Fahrt, so sollst du es nicht bereuen, das verspreche ich dir. Und wenn du einen Wunsch hast, so sage es. Ich werde ihn erfüllen!« Erwartungsvoll sah er zu Siegfried auf. Dem stockte einen Augenblick der Atem. Blitzschnell begriff er, was Gunthers Angebot für ihn bedeutete. Er sprang auf und streckte Gunther die Hand hin. »Ich will dir helfen, Brunhild zu erringen, wenn du mir deine Schwester zur Frau gibst.« So, nun war es gesagt. Einen kurzen Augenblick wartete Siegfried gespannt. Dann lächelte Gunther und ergriff seine Hand. »Ich habe es gewußt«, sagte er befriedigt, »und ich bin einverstanden.«

So wurde diese Reise beschlossen und mit Eile und Sorgfalt vorbereitet.

»Wir wollen zweitausend Recken mitnehmen«, meinte Gunther, »der König von Burgunden muß mit Ehren am Hofe der Königin von Island erscheinen.«

Aber Siegfried war anderer Meinung.

»Zweitausend Recken nützen uns gar nichts bei dem Wettspiel gegen Brunhild. Ich rate, nur deine Oheime Hagen und Dankwart mitzunehmen. Wir vier wollen dieses Abenteuer schon bestehen! Meine Tarnkappe nehme ich mit, sie macht unsichtbar und gibt Zwölfmänner-stärke. Vielleicht bringen wir damit der Königin das Wundern bei. Aber schöne Kleider, Rüstungen und Pferde müssen wir haben, Brunhild ist reich und liebt die Pracht.«

»So wollen wir Kriemhild bitten, für unsere Gewänder zu sorgen«, schlug Hagen vor. »Sie ist sehr kunstreich, und sie wird es gerne tun – besonders für einen von uns«, fügte er hinzu und warf Siegfried einen mißgünstigen Blick zu. Dieser Fremdling aus Niederlanden erreichte wahrhaftig alles, was er wollte! Und Gunther hörte viel zuviel auf seinen Rat, dachte Hagen mit heimlicher Eifersucht.

Kriemhild erschrak, als sie von der Reise hörte, die so weit über das wilde Nordmeer führte, und ihr graute vor der streitbaren Königin, die ihre Schwägerin werden sollte. Aber sie machte sich sogleich mit ihren Mägden an die Arbeit und suchte die kostbarsten Stoffe, die Frau Ute in den Truhen verwahrte, heraus, um sie zu fürstlichen Gewändern zu verarbeiten. Aber sie wurde immer stiller und ernster, je näher die Zeit der Abreise kam, und viele Tränen fielen heimlich auf die glänzende Seide.

Endlich war alles bereit, auf dem Rhein lag ein starkes Schiff angekettet, und ein fröhlicher Morgenwind blies die Segel auf. Frau Ute und Kriemhild begleiteten den König mit großem Gefolge hinaus an den Strand. Siegfried ritt neben der jungen Königin und fühlte sich so glücklich, daß er es ihr am liebsten gesagt hätte, aber sie war blaß und schweigsam, und wenn sie einmal den Kopf zu ihm herüberwandte, blickte sie schnell wieder fort, denn er sollte nicht sehen, daß ihre Augen rot vom Weinen waren.

Er sah es aber doch und wollte sie gern trösten. »Es ist keine große Gefahr da droben für uns«, sagte er ermutigend, »ich gebe getreulich auf den König acht und bringe ihn heil und gesund wieder zurück, wenn ich selbst das Leben habe.«

Aber sein Versprechen machte sie nur noch trauriger, denn sie wußte, er würde lieber selber sterben, als Gunther im Stiche lassen. Und sie – ja, sie wollte ihn doch so gerne wiedersehen! Vielleicht aber auch – wer konnte es denn wissen? – gefiel er dieser greulichen Königin da droben so gut, daß sie ihn für sich zu behalten wünschte, lieber als ihren Bruder Gunther. Und sie war doch leider so märchenhaft schön, erzählten sie alle! Vielleicht meinte auch Siegfried, daß sie schöner war als die Burgundenprinzessin mit den rotgeweinten Augen und den blassen Wangen. Dies alles dachte Kriemhild, während sie auf ihrem weißen Pferd neben Siegfried zum Ufer hinabritt, und es war ihr schwer ums Herz wie noch nie in ihrem Leben. Aber das durfte niemand merken, man mußte nun freundlich Abschied nehmen und lächeln, wenn es auch kaum gelingen wollte.

Dann ging auch dieser Abschied vorüber, die Knechte lösten die Ketten, auf den Bohlen stampften aufgeregt die Rosse, und langsam drehte sich das Schiff der Mitte des Stromes zu.

Siegfried stand am Steuer, die Augen achtsam voraus aufs Wasser gerichtet. Nur ab und zu warf er einen schnellen Blick zurück zum Ufer, wo die Gestalten immer kleiner wurden, bis man nichts mehr unterscheiden konnte.

Sie fuhren bei gutem Winde den Rhein hinab, und der Strom schaukelte sie sachte. Gunther aber dachte mit Besorgnis daran, wie sie wohl über das unbekannte Nordmeer kommen würden: Denn die Burgunden waren niemals zur See gefahren. Er redete mit Hagen und Dankwart darüber, während sie Siegfried zusahen, wie er steuerte.

»Ich kenne die Wasserstraße nach Island gut«, rief Siegfried über die Schulter zurück. »Du kannst mir ruhig Schiff und Leute anvertrauen, König Gunther.«

Der König dachte wieder einmal bei sich, es sei gut, diesen Mann zum Schwager zu bekommen.

Als es Nacht wurde, kamen sie aufs Meer hinaus. Das ging nun freilich weniger sanft mit ihnen um. Von Westen her fiel der Sturm sie an, aus dem dunklen Wasser sprang der weiße Gischt hoch herauf und stürzte über ihnen zusammen. Die Pferde bäumten sich, Hagen und Dankwart konnten sie nur mit aller Kraft am Zaume halten.

»Mir scheint, wir segeln der Hölle zu!« schrie Hagen mürrisch, denn ihm war sehr übel im Magen, der Sturm brüllte, und die Segel knatterten laut. Siegfried sah sich um und lachte. Er schüttelte sein Haar, aus dem das Wasser troff, seine Faust lag wie Eisen um das Ruder. Die Wolken jagten über den Himmel wie Wodans Rosse in alter Zeit. Manchmal schien es den Männern, als drehten sie sich im Kreise, manchmal schoß das Schiff jäh vorwärts und schien plötzlich ins Bodenlose zu versinken.

Aber als der Morgen kam, legte sich der Sturm allmählich, und die Wolken lösten sich in einen silbernen Dunst auf, der noch eine Weile über dem Wasser hing, bis ihn die Sonne aufsog. Da sahen sie, daß sie schon weit vom Festlande nach Nordwesten gekommen waren.

Siegfried gab Gunther das Ruder in die Hand und streckte die Arme. »Wir haben die Richtung nicht verloren, trotz dem Höllentanz heute nacht«, sagte er befriedigt. »Ich wußte wohl, daß ich den Weg wiederfinden würde.«

»Ich möchte nur wissen, wie du ihn heute nacht gefunden hast«, knurrte Hagen böse. Er hatte das Gefühl, daß in seinen Eingeweiden alles durcheinandergekommen war.

»Nach den Sternen, Herr Hagen«, lachte Siegfried. Aber es waren nur selten ein paar Sterne zwischen dem Wolkengewimmel erschienen.

Sie fuhren ohne Aufenthalt Tage und Nächte hindurch übers Nordmeer, einmal vom Sturmwind sausend mitfortgerissen, einmal wieder bei völliger Windstille, so daß die Segel schlaff und trübselig um die Masten klatschten und die Männer die ganze Nacht hindurch rudern mußten, während die Sterne langsam über den schwarzen Samt des Himmels zogen.

Sie kamen an kleinen Inseln vorüber, auf denen seltsame Tiere mit glänzenden, spindelförmigen Leibern und runden Köpfen am Strande lagen, die sich bei ihrem Anblick entsetzt ins Wasser stürzten und davonschwammen.

Das Meer war nun voll schwarzer spitzer Klippen, die überall gefährlich aus dem Wasser starrten, und Siegfried fuhr ganz langsam und vorsichtig. Um ihre Köpfe flatterten Meervögel mit zornigen schrillen Schreien.

Eines Morgens leuchteten in der Sonne die Felsen einer nahen Küste vor ihnen auf, und hoch droben die Türme und Zinnen einer Burg, um die der Himmel im Morgenlicht wie Feuer loderte.

»Die Feste Isenstein, König Gunther!« rief Siegfried. »Wir sind in Brunhilds Land. Nun höre meinen Rat, und ich bitte dich, folge ihm! Sage der Königin, ich sei dein Dienstmann. Denn sie wird mich wiedererkennen und meinen, ich sei gekommen, im Kampfspiel um sie zu werben. Darum ist es besser, sie denkt, ich sei kein freier Fürst.«

Gunther versprach es, obwohl er diese Vorsicht nicht ganz begreifen konnte.

Mittlerweile war das Schiff mit einem leisen Knirschen an den Strand gefahren, Siegfried sprang hinüber, und sie warfen ihm die Ketten zu, die er rasch an den Pfählen festmachte.

In der Burg hatte man ihre Ankunft schon beobachtet, und plötzlich erschienen an den Fenstern und auf dem Söller eine Menge Frauen, bei deren Anblick den burgundischen Recken vor Staunen der Atem stockte: Denn sie trugen über ihren Gewändern silberne Harnische und blitzende Helme über dem Haar.

Hagen starrte hinauf. »He, was ist denn das für ein Fasnachtsaufzug?« brummte er verdutzt. »Mir scheint, die Walküren warten schon darauf, uns nach Walhall zu geleiten!«

Sie führten ihre Rosse über die Landebrücke, die sie ausgelegt hatten, an den Strand. Droben in der Burgmauer öffnete sich das Tor, Knechte kamen herausgelaufen.

Siegfried hielt Gunthers Pferd am Zügel, als wäre er wirklich ein Dienstmann. Erst als der König im Sattel saß, bestieg er selbst sein Pferd. Er warf einen raschen Blick zum Söller empor.

»Schau hinauf, König Gunther«, sagte er leise, ehe die

Knechte herankamen, »und sage mir, welche von den Frauen Brunhild ist!«

Aber Gunthers Augen waren noch schneller gewesen. »Dort an der Säule mit dem schwarzen Haar und dem goldenen Helm, das muß die Königin sein! Bei Gott, ich habe nie eine schönere Frau gesehen!« Wie verzaubert hing sein Blick am Söller, während sie auf die Mauer zuritten.

Am Tore baten die Knechte, sie möchten die Waffen abgeben, es sei so Sitte am Hofe der Königin von Island.

Hagen fuhr auf. »Das macht mich lachen!« sagte er. »Ein unbewaffneter Mann ist nur allzuoft bald ein toter Mann.«

Siegfried aber meinte, sie könnten es ruhig tun, Brunhild sei eben doch eine Frau und liebe anderen Brauch als Männer.

Die Königin sah nachdenklich hinab auf die fremden Gäste. Ihre dunklen Augen streiften gleichgültig Hagen und Dankwart, auch Gunther kannte sie nicht, und er schien ihr nicht besonders beachtenswert. Aber schließlich kehrte ihr Blick wieder zu Siegfried zurück, und plötzlich flog eine helle Röte über ihr stolzes Gesicht. Sie hatte ihn wiedererkannt! Und im selben Augenblick fiel ihr auch ein, daß er damals den Stein geschleudert hatte, viel weiter, als sie es vermochte, und daß er fortgegangen war, ohne sich um sie zu kümmern. Oh, sie wußte genau, wie zornig sie gewesen war, weil es ihm nicht der Mühe wert schien, um sie zu kämpfen! Aber – vielleicht war er nun deshalb wiedergekommen? O ja, ganz gewiß!

Sie trat rasch vom Söller zurück in ihre Kemenate, ergriff den silbernen Spiegel und betrachtete sich lange und ernsthaft. Dann ging sie mit ihren Jungfrauen und Kämmerern hinab in den Burghof, die Gäste zu begrüßen.

Die Recken sprangen von den Pferden. Die Königin schritt sofort auf Siegfried zu, ohne die anderen viel zu beachten.

»Sei mir willkommen, Herr Siegfried«, redete sie ihn höflich an; dennoch war ihre Art so herrisch, daß es eher einem Manne angestanden hätte. »Willst du mir sagen, was dich wieder in mein Land führt?«

Siegfried neigte sich tief. »Deine Gnade ist groß, Königin, daß du mich zuerst begrüßt. Aber diese Ehre gebührt nicht mir, sondern König Gunther, meinem Herrn, der gekommen ist, um dich zu werben.«

Brunhild richtete sich zornig auf und trat einen Schritt zurück. Hochmütig blickte sie Siegfried an. »So bist du sein Dienstmann? Ich hatte geglaubt, du wärest ein freier Fürst! Nun . . .« – sie würdigte den Burgundenkönig kaum eines Blickes – »und weiß König Gunther, daß er mich in drei Kampfspielen besiegen muß, wenn er mich heimführen will: im Speerwurf, im Steinwurf und im Sprung? Und weiß er«, fuhr sie langsam fort, »daß sein Leben verwirkt ist, wenn ich siege? Ich habe bis heute immer gesiegt«, schloß sie warnend.

Die Männer starrten sie schweigend an, und es graute ihnen vor dieser Frau. Aber Gunther hatte ihre Schönheit blind gemacht.

»Um deinetwillen würde ich alles wagen, Königin, auch mein Leben«, sprach er ohne Zögern.

Mit einer zornigen Bewegung wandte sie sich um. »Mag es dich nicht reuen, König Gunther! Man bringe dem König von Burgunden seine Waffen!«

Dann kümmerte sie sich überhaupt nicht mehr um die Fremden und befahl, auch ihre eigenen Waffen zu bringen.

Siegfried stahl sich indessen fort zum Schiffe, seine Tarnkappe zu holen, legte sie an und kam zurück, ohne daß ihn jemand sehen konnte. Der Burghof war aber plötzlich voll von Bewaffneten. Hagen und Dankwart sahen es mit Besorgnis, und ihre Hand fuhr vergebens nach der Seite, wo sonst das Schwert hing.

Da brachten drei Knechte den Schild der Königin. Hagens üble Laune wurde immer übler.

»Wie gefällt dir der Schild, König Gunther?« sprach er

heiser vor Zorn. »Mir scheint, du mußt des Lebens müde sein, da du mit diesem Teufelsweib kämpfen willst.«

Gunther antwortete nicht. Denn nun kamen drei andere Männer und schleppten mit Mühe den Speer heran, mit dem die Königin zu schießen pflegte. Dem Burgundenkönig lief es kühl über den Rücken, und er dachte, wenn er jetzt daheim am Rhein wäre, würde Brunhild in aller Zukunft Ruhe vor ihm haben. Aber nun half es nichts, der Schild war da, der Speer hatte eine greuliche Schneide an den Kanten, und den Stein trugen eben vier Knechte herbei.

Hagen und Dankwart blickten einander an. »Ein höllisches Spielzeug hat die Königin auf Isenstein«, murmelte Dankwart und fühlte, wie sich ihm leise die Haare sträubten.

Inzwischen war aber Siegfried in seiner Tarnkappe unsichtbar herangekommen. Und während Gunther noch voll heftiger Abneigung auf den riesigen Stein starrte, fühlte er, wie ihn jemand am Arm faßte. Er fuhr herum, aber – was war denn das wieder für ein Zauberwerk? Da stand niemand, und dennoch fühlte er ganz deutlich, wie ihn eine starke Hand am Arm hielt. Und jetzt flüsterte eine Stimme neben ihm: »Gib acht, König Gunther!« Dem König wollten die Augen aus den Höhlen treten, denn nun konnte das nicht mehr mit rechten Dingen zugehen ... Aber da sprach die Stimme weiter, und zugleich schob sich ein fremder Arm unter seinen Schild. »Laß dir nichts anmerken, und tue so, als kämpftest du selber. Wir werden der streitbaren Jungfrau schon Meister werden.«

Gunther tat einen tiefen Atemzug. Er hatte begriffen, daß Siegfried in der Tarnkappe neben ihm stand, die ihm Zwölfmännerstärke verlieh. Es tat recht gut, das zu wissen, das konnte der König der Burgunden beileibe nicht leugnen.

Drüben hob jetzt Brunhild den Ger. Sie stand, den hohen schlanken Leib zurückgebeugt, wie ein gespannter Bogen, ihr goldener Harnisch funkelte in der Sonne, im Halbkreise um sie standen ihre Jungfrauen in silberner Rüstung, den Speer in der Hand.

Hagen ballte die Fäuste. Die Wut erstickte ihn beinahe. »Haben wir darum unser Leben lang wie ehrliche Ritter gekämpft, damit wir hier waffenlos warten, bis die Weiber uns den Garaus machen? Ist das ritterliche Sitte? Der ganze Hof wimmelt von Bewaffneten, uns aber hat man nicht einmal unsere Schwerter zurückgegeben.«

Brunhild hatte es gehört. Noch einmal senkte sie den Ger. »Bringt den Herren ihre Waffen!« befahl sie den Knechten, und dann sah sie die Burgunden an mit einem Lächeln, unter dem es einen fror. »Aber ihr werdet dennoch sterben müssen«, sagte sie leise, fast bedauernd.

Hagen und Dankwart meinten aber, das sei nun nicht mehr gar so gewiß, da sie ihre guten Schwerter wieder hatten.

Hart und hell tönte jetzt Brunhilds Kampfruf über den Hof. Weit zurückgebeugt schleuderte sie den riesigen Speer, sausend durchschnitt er die Luft und fuhr mit einem fürchterlichen Krachen in Gunthers Schild, wo er zitternd steckenblieb. Funken stoben, und die beiden Männer strauchelten unter der Wucht des Stoßes. Im nächsten Augenblick hatte Siegfried den Wurfspieß herausgezogen. Aber er drehte ihn nicht um.

»Ich will sie nicht töten«, sprach er leise, und mit dem Schaft voran schleuderte er den Speer, Gunthers Hand führend, mit aller Kraft zurück auf Brunhild. Da half nun freilich der Königin ihre Stärke nicht mehr. Sie fing den Speer mit ihrem Schilde auf, aber der Anprall war so furchtbar, daß sie rücklings hart zu Boden stürzte. Einen Augenblick lang lag sie still, die Augen geschlossen. Sie war bleich wie der Tod. Dann sprang sie jäh auf, starrte Gunther an, als könnte sie nicht glauben, was geschehen war. Dunkle Röte überflog ihr Gesicht, sie war sehr, sehr zornig: denn ihr Stolz litt grausam unter dieser ersten Niederlage. Aber sie wußte genau, der Stoß hätte sie getötet, wäre der Speer mit der Spitze nach vorne geschleudert worden. »Ich danke dir für den ritterlichen Wurf, König Gunther«, sprach sie finsteren Gesichts, ohne ihn anzusehen: Denn es gefiel ihr nicht, daß sie ihm das Leben zu verdanken haben sollte.

Sie hob den Stein auf und wog ihn in der Hand. Niemand lebte, der ihn weiter werfen konnte als sie! Wirklich niemand? Die Königin mußte plötzlich an Siegfried denken. Sie sah, daß er nicht mehr da war. Wo mochte er sein? Er hatte einmal den Stein geworfen, nur so zum Spiele, für sich . . . sie runzelte die Stirn. Was ging sie das an? Zum Denken war jetzt nicht die Zeit. Der König von Burgunden sollte nicht zu früh frohlocken.

Sie warf. Der schwere Stein flog, wie von einer Schleuder geschnellt. Er flog zwölf Klafter: Brunhild hatte recht, stolz zu sein auf ihre Stärke! Sie nahm einen Anlauf und sprang dem Stein nach, leichtfüßig wie ein Reh, ihr langes dunkles Haar wehte hinter ihr her, und sie sah aus, als wäre alles ein leichtes Spiel für sie. Sie sah zufrieden, daß sie sehr weit gesprungen war. Nun schleppten die Knechte den Stein zu Gunther hin. Der König hob ihn auf und fühlte sogleich, wie Siegfrieds unsichtbare Hand nach dem Marmorblock griff.

»Jetzt!« flüsterte die Stimme neben ihm. Und dann flog ihm der Stein aus der Hand, er wußte nicht wie, von dieser furchtbaren fremden Kraft geschleudert, und flog noch viel weiter, als Brunhild ihn geworfen hatte.

»Spring!« befahl die Stimme wieder, und im nächsten Augenblick fühlte sich Gunther emporgehoben und unwiderstehlich fortgetragen. Sie kamen noch ein gutes Stück hinter dem Stein wieder auf den Boden. Im Burghofe war es totenstill geworden, obgleich er voll von Menschen war. Brunhild stand da in ihrer goldenen Rüstung, bleich und finster, und ihre Arme hingen herab. Niemand sah, daß sie die Fäuste ballte, bis sich die Nägel ins Fleisch gruben. In ihrem Innern kochte es vor Zorn. Nun war alles zu Ende! Sie mußte die Gemahlin dieses Burgundenkönigs werden, und ihre übermenschliche

Kraft würde sie verlassen: Denn sie war ihr nur verliehen, solange sie unvermählt blieb. Gab es wirklich keinen Ausweg mehr? Blitzschnell dachte sie nach. Nein, es gab keinen; hatte sie doch ihr königliches Wort verpfändet. Also hieß es, gute Miene zu diesem bösen Spiele zu machen! Und niemand sollte merken, wie schwer es ihr fiel! Hoch aufgerichtet schritt sie über den Hof auf Gunther zu. »Du hast mich besiegt, König der Burgunden«, sprach sie ruhig. »Du wirst also mein Gemahl sein und der Herr dieses Landes. Komm mit mir, damit meine Ritter dir huldigen!« Sie ergriff seine Hand und führte ihn in den Palast. Gunther war es nicht sehr wohl zumute, denn er schämte sich des Sieges, den ein anderer für ihn errungen hatte. Aber wenn er Brunhild ansah, freute er sich dennoch, obgleich sie düster mit gesenktem Blick neben ihm herschritt: Sie grübelte noch immer darüber nach, ob dieser Fremdling wahrhaftig stärker sein konnte als sie, und ihr schien, es wäre nicht alles mit rechten Dingen zugegangen bei diesem Kampfe.

Hinter ihnen schritten Hagen und Dankwart, und plötzlich sah die Königin, daß auch Siegfried wieder da war. Sie hielt unter dem Tore an und wandte sich zurück. »Herr Siegfried, ich habe dich beim Kampfspiel nicht gesehen. Du scheinst mir kein guter Dienstmann zu sein, da du deinen Herrn beim Kampf allein läßt«, sprach sie spottend. »Oder hat dich etwa der König mit einem Auftrag fortgesandt?«

Siegfried zuckte gleichmütig die Schultern. »Ich war nach dem Schiff gegangen, um zu sehen, ob es gut angekettet wäre, weil mir schien, es komme ein Sturm auf. Aber ich bin froh, daß König Gunther gesiegt hat und daß du mit uns an den Rhein fahren wirst, Frau Königin!«

Sie wandte sich hastig ab und antwortete nicht. Ihr Gesicht war zornig und traurig.

Schweigend schritt sie neben Gunther in die Halle zum Hochsitz. Der große Saal war im Nu voll von Bewaffneten, Hofherren und den Jungfrauen der Königin.

Brunhild befahl mit ruhiger Stimme, man möge sogleich Boten im ganzen Lande aussenden, die alle ihre Verwandten und Freunde binnen drei Tagen mit ihren Mannen nach Isenstein berufen sollten. »Denn«, so sprach sie, »ich will im Lande alles gut geordnet hinterlassen, wenn ich mit dem König von Burgunden an den Hof zu Worms fahre.«

Tiefes Schweigen herrschte nach ihren Worten im Saale.

»Nun sollt ihr eurem König huldigen«, sagte Brunhild endlich müde und ließ sich auf dem Hochsitz nieder, als ginge sie alles nichts mehr an.

Zögernd gehorchten die Männer, zögernd legten sie die Waffen ab und beugten sich vor König Gunther. Ihre Gesichter waren hart und feindlich.

Hagen stand mit Siegfried und Dankwart hinter dem Sitz des Königs und sah sorgenvoll hinab, während er über das Aufgebot nachsann, das die Königin eben erlassen hatte. In drei Tagen würden also ein paar tausend Krieger in Isenstein sein – und dann? Was dann, wenn die Königin böse Absichten hegte? Leise sprach er zu Siegfried darüber. Dieser nickte nur, beugte sich über die Schulter des Königs und sagte ihm ins Ohr: »Ich gehe jetzt sofort zum Schiffe, fahre zu den Nibelungen und bringe tausend meiner besten Recken her. Ich komme zurück, so schnell ich kann. Wenn dich die Königin fragt, so sage nur, du habest mich fortgesandt!«

»Beeile dich«, flüsterte Gunther zurück, denn auch ihm gefiel dies alles keineswegs.

Siegfried ging aus dem Saale, legte draußen die Tarnkappe an und lief ungesehen zum Schiffe, das leise im seichten Wasser schaukelte. Rasch löste er die Ketten und griff zu den Rudern. Freilich, es ging kein Sturm, es herrschte sogar eine fürchterliche Windstille in der Bucht. Aber Siegfried hatte ja die Tarnkappe und Zwölfmännerstärke, und wie er so mit Macht zu rudern anfing, schoß das schlanke Schiff aufs Meer hinaus wie ein Pfeil, daß das grüne Wasser hoch aufschäumte.

Siegfried ruderte Tag und Nacht. Endlich kam ihm der Sturm zu Hilfe und blies die Segel wie toll, und im Morgengrauen erreichte er das Land der Nibelungen, sprang ans Ufer und machte das Schiff fest. Dann wanderte er eilig fort, landeinwärts.

Der Nebel hing dicht und grau, kaum konnte er den Weg vor seinen Füßen sehen. Vor ihm dehnte sich der Wald, und drüben erhob sich weit vom Meeresstrand auf einem Berge das feste Schloß der Nibelungenkönige. Darauf ging Siegfried zu, stieg geschwind den Felsenpfad hinauf und befand sich bald vor dem verschlossenen Burgtor. Eine kurze Weile stand er still davor und lauschte. Von drinnen kamen sonderbare Laute; es pfiff und knarrte und schnaufte und stöhnte, daß es sich zum Fürchten anhörte. Siegfried lachte leise vor sich hin: Er wußte genau, hinter dem Tore lag der riesenhafte Wächter und schlief und schnarchte so entsetzlich. Er zog sein Schwert und schlug damit ans Tor, daß es von der Burg widerhallte.

Augenblicklich hörte das Schnarchen auf, und eine grämliche Stimme schrie zornig: »He, was gibt's denn da draußen? Weckt mich doch einer aus dem besten Morgenschlaf!«

Siegfried bat mit verstellter Stimme, ihn einzulassen, er sei weit hergekommen und wäre froh, ein Obdach und ein wenig Rast zu finden. Ein greuliches Geschimpfe war die Antwort. Der ungefüge Geselle drinnen sprang auf die Beine, band sich mit wütenden Griffen den Helm auf und langte nach seiner Eisenstange. Dann riß er das Tor auf.

»Du Wicht, ich will dich lehren, mich im Schlaf zu stören!« brüllte er und stürzte sich mit seiner Stange auf Siegfried, dem das Lachen schnell verging. Hageldicht fielen die Hiebe mit der fürchterlichen Keule, kaum vermochte der Schild sie aufzufangen. Zwar schlug das gute Schwert Balmung dem Riesen da und dort eine Wunde, aber der schien es gar nicht zu fühlen. Er brüllte vor lauter Zorn, weil dieser unverschämte Knirps da vor ihm noch immer nicht tot sein wollte. Das Kampfgetöse widerhallte von Fels und Mauern, und selbst im Bergesinnern dröhnten die wüsten Schläge, daß die Zwerge, die drunten arbeiteten, vor Schrecken ihr Werkzeug fallen ließen und eilig in die tiefsten Kammern hinabkletterten.

Ihr König Alberich aber, der Siegfried einst Treue geschworen hatte, meinte, es hätten Feinde die Burg überfallen. Er ließ sich eilig wappnen und stieg nach oben.

Der riesige Wächter wurde indessen doch allmählich müde, und seine Wunden begannen zu schmerzen. Er holte noch zu einem furchtbaren Schlag aus, der Siegfrieds Schild zertrümmerte, dann aber war es mit seiner Kraft zu Ende. Die Stange entfiel ihm, und Siegfried band ihm die Hände mit seinem starken Gürtel und setzte ihn an die Mauer, wo er ächzend sitzen blieb und nur manchmal scheu nach dem Fremden blinzelte, der ihm so übel mitgespielt hatte.

Es war noch immer nicht ganz hell geworden und bei dem Nebel nichts deutlich zu erkennen. Siegfrieds Ohren aber hatten ein Geräusch aufgefangen wie von schnellen Schritten, die sich von rückwärts näherten. Hastig drehte er sich um. Vor ihm stand ein winziger geharnischter Recke, dem der weiße Bart bis zum Gürtel reichte. Er trug eine sonderbare Waffe in der Hand: eine Peitsche mit goldenem Griff und sieben langen Riemen, an deren Enden schwere Kugeln hingen. Siegfried erkannte Alberich sogleich. Aber er hatte keine Zeit, ihn zu begrüßen: Denn schon begann der streitbare Zwerg mit seiner Peitsche auf ihn loszuschlagen, und er merkte, daß die seltsame Waffe gar nicht zu verachten war. Wo sie hintraf, brannte es alsbald wie höllisches Feuer.

Siegfried hatte recht schnell genug von diesem Spiel, und die Schmerzen machten ihn zornig. Er warf den zerborstenen Schild weg, bekam den Zwerg am Barte zu fassen und zauste ihn erbärmlich, während er ihm die Peitsche entriß und über den Felsen hinabschleuderte. Da mußte der tapfere Alberich freilich um Gnade bitten, um seinen Bart und sein Leben zu retten.

Siegfried band auch ihn und legte ihn ein wenig unsanft auf den Boden. Mittlerweile hatte sich der Nebel gelichtet, und der Zwergenkönig starrte seinem Überwinder erstaunt ins Gesicht.

»Wer bist du denn?« brachte er schließlich hervor. »Du bist doch – du bist ja Siegfried!« schrie er, und dann begann er so zu lachen, daß sein Bauch hüpfte und er beinahe den Felsen hinabgekollert wäre. Auch das Gesicht des Riesen verzog sich zu einem grimmigen Grinsen, aber er wagte nicht, laut zu lachen, weil ihm seine Wunden sehr weh taten.

»So haben wir also deine Burg und dein Land gegen dich selbst verteidigt«, sagte Alberich, als er wieder zu Atem gekommen und seiner Fesseln ledig war. »Nun aber sage, was wir für dich tun können!«

»Hört zu!« befahl Siegfried und wurde sogleich wieder ernst, denn die Zeit drängte. »Ich brauche sofort tausend unserer besten Recken und gute Schiffe, sie übers Meer zu bringen. Beeilt euch!« Da liefen sie, ohne weiter zu fragen, und beriefen Ritter und Kriegsvolk aus der ganzen Umgebung in die Burg. Tief drunten in den Felsenkammern lagen die ungeheuren Schätze des Nibelungenhortes. Nun wurden reiche Gewänder, Rüstungen und Waffen heraufgeholt und an die Recken verteilt, die nach Island fahren sollten.

Bald schaukelten schmale Schiffe mit weißen Segeln am Strand, Mann und Roß gingen an Bord, und das kleine prächtige Heer fuhr über das Nordmeer gegen Isenstein.

Rings um Brunhilds feste Burg aber war inzwischen ein großes Heerlager entstanden von all den Mannen der Königin, die von fern und nah herangezogen kamen.

König Gunther stand mit Hagen und Dankwart auf dem Söller und schaute mit Mißbehagen hinab auf das kriegerische Gewimmel. Es schien ihnen, als wären sie Gefangene in Feindesland, und sehnsüchtig schweiften ihre Augen über das Meer, ob nicht endlich am Horizont die

Segel heraufkämen, die Siegfried und seine Nibelungen brächten.

Da trat Brunhild zu ihnen. »Ich habe weit draußen Schiffe gesehen«, sagte sie. Gunther suchte vergebens das weite Meer ab. Die Königin mußte Augen wie ein Falke haben! Aber nach einer Weile sahen sie es auch: wie winzige Wölkchen zuerst, dann wie weiße Vögel kamen die Segel herauf und wurden schnell größer.

»Das sind unsere Mannen!« rief Gunther, und ein Stein fiel ihm vom Herzen. »Ich habe Siegfried gesandt, sie herzubringen. Nun wollen wir mit ehrenvollem Geleit heimfahren nach Worms!«

Mit der Heimkehr hatte es freilich noch gute Weile. Es mußte ein Oheim der Königin als Vogt des Landes bestellt werden, von allen Freunden und Verwandten hieß es Abschied nehmen; viele Jungfrauen, die ihre Herrin begleiten sollten, und tausend Recken mußten für die Reise ausgerüstet werden. Zwanzig Truhen wurden angefüllt mit Gewändern und Geschmeide und vielerlei kostbaren Dingen, die Brunhild mit sich nehmen wollte.

Aber dann blieb doch eines Tages nichts mehr zu tun übrig und man konnte zu Schiffe gehen. Bei gutem Wind verließ die Flotte die Bucht von Isenstein und fuhr auf die weite See hinaus, dem fremden Lande zu, von dem die Königin nie wieder heimkehren sollte nach Island.

Brunhild stand am Heck, die Hand um ein Tau geklammert, und schaute zurück, solange noch eine Klippe zu erblicken war. Es wurde keine fröhliche Reise, wenigstens nicht für den König von Burgunden. Und in bösen Stunden schien ihm, er habe übel getan, nach Isenstein zu fahren.

Als sie sich dem Festland näherten, kam Hagen zu König Gunther. »Wir sollten einen Boten vorausschicken nach Worms zu den Frauen, meine ich! Denn nun sind wir schon so lange fort, daß sie zu Hause um uns in Sorge sein werden. Es muß auch zum Empfang der Königin gerüstet werden.«

»Gut«, sprach Gunther, »bereite dich, sogleich vorauszu-
reiten, sobald wir an Land gegangen sind!«

Hagen lachte rauh. »Ich tauge nicht als Bote an schöne
Frauen! Dazu bin ich nicht fein genug, und meine Sitten
sind nun einmal wenig höfisch. Aber« – sein zerhauenes
Gesicht verzog sich spöttisch – »bitte doch Siegfried, vor-
auszureiten, und ich wette mein Schwert gegen einen
Kieselstein, er wird nicht nein sagen.«

Das tat Siegfried freilich nicht: Denn ihm ging die Reise
schon viel zu langsam. Kaum hatten sie angelegt, saß er
schon auf seinem weißen Hengst und jagte mit zwei Dutzend seiner Recken rheinaufwärts. Sie ritten, daß den
Pferden die Schaumflocken vom Maule flogen, und
rasteten nur so lange, als es für die Tiere nötig war. Manches Bäuerlein sprang entsetzt vom Wege in das Feld,
wenn die wilde Jagd vorüberbrauste; und nachts, wenn
sie durch die Dörfer jagten, bekreuzigten sich die alten
Weiblein und meinten, es sei Wodans Heer, das über
ihnen durch die Lüfte fahre wie vor vielen hundert Jahren.

Gernot und Giselher erschraken, als Siegfried mit seinen
Recken in die Burg einritt. Wo war König Gunther? Aber
Siegfried sprang vom Pferde und warf die Zügel einem
Knechte zu. Nun nahm er den Helm ab und sah hinauf
zum Fenster: Sein Gesicht leuchtete vor Freude, und
plötzlich schwang er den Helm hoch über seinem Kopfe.

Gernots ernstes Gesicht hellte sich auf. »Es ist gewiß alles
gut. So sieht kein Bote aus, der schlechte Nachricht
bringt!«

Nein, es war keine schlechte Nachricht, und die Frauen
sollten sie auch sogleich hören, denn sie würden viel zu
tun haben, um die neue Königin von Burgunden würdig
zu empfangen. Also ließen sie Frau Ute und Kriemhild
sagen, Siegfried sei mit Botschaft von König Gunther
gekommen und bitte sie, ihn anzuhören.

Die alte Königin befahl, ihn sofort zu ihr zu führen.
Kriemhild aber lief eilig in ihre Kemenate und richtete
große Unordnung unter ihren Gewändern an, denn sie

wußte nicht, welches davon schön genug wäre, Siegfried
darin zu begrüßen. Ihre Wangen waren heiß und rot, und
sie meinte, ihr Herz schlüge ganz laut, als sie neben ihrer
Mutter stand. Im nächsten Augenblick trat Siegfried ein.
Seine Augen suchten Kriemhild, noch ehe er sich tief zum
Gruß verneigte. Die Königin hatte es wohl gesehen und
lächelte ein wenig, als sie ihm entgegenging, ihm die
Hand bot und bat, seine Botschaft auszurichten.

Da erzählte er, was sich alles zugetragen hatte, seit sie
nach Island aufgebrochen waren, und sagte zuletzt, daß
König Gunther und Brunhild schon den Rhein herauf-
führen und bald in Worms eintreffen würden.

»Der König läßt euch bitten, alles zum Empfang zu
rüsten und ihnen vor die Stadt entgegenzureiten mit vielen
Rittern und Jungfrauen; denn die Königin von Island ist
eine stolze Frau und großen Prunk gewohnt.«

Da geriet selbst die würdige Frau Ute in Aufregung. »Ich
danke dir, edler Siegfried, für die gute Botschaft«, sagte
sie eilig, wegen all der vielen wichtigen Dinge, die nun
bevorstanden. »Und auch Kriemhild wird dir danken,
denn du hast viel für uns getan.«

Kriemhild sah ihn strahlend an und streckte ihm die
Hand entgegen. »Ich möchte dir gerne reichen Botenlohn
geben, Herr Siegfried«, sprach sie, »aber du brauchst
mein Gold nicht, denn du bist selbst reich genug.«

»Und hätte ich dreißig Königreiche«, sagte Siegfried
rasch und leise, »ich wäre dennoch glücklich über jede
Gabe aus deiner Hand.«

Dann nahm er auf seine ritterliche Art Abschied und ging.
In der Burg aber begann ein emsiges Arbeiten in Küche,
Keller und Kammern. Gäste mußten geladen werden, und
es war sehr darauf zu achten, daß man keinen vergaß,
dem diese Ehre gebührte.

Auf jedem Turm saß ein Wächter und hielt Ausschau
nach den Schiffen, die den König und die Königin bringen sollten. Späher waren rheinabwärts geschickt worden,
damit man früh genug Botschaft erhielt, um sich noch

schmücken zu können und vor die Stadt ans Ufer zu reiten.

Um die Mittagsstunde jagte ein Späher auf schaumbedecktem Pferde in den Burghof. Er sprang ab, ließ das Roß stehen, wo es stand, und rannte in den Saal hinauf zu König Gernot. »Sie kommen!« meldete er atemlos und bemerkte entsetzt, daß er im Eifer den König nicht begrüßt hatte. Eilig verbeugte er sich bis zum Boden und fuhr fort: »Ich schätze, daß sie in zwei Stunden hier sein können.«

Die Nachricht ging wie ein Lauffeuer durch die Burg. Es summte durcheinander wie ein Bienenschwarm. Knechte und Buben hatten nichts zu lachen; jeder wurde an drei Orten zugleich gebraucht. Und war er nicht gleich da, so setzte es eine Maulschelle von einem aufgeregten Herrn.

Kriemhild blickte – zum wer weiß wievielten Male – in den gänzenden Spiegel. War sie schön genug? Vielleicht hätte sie doch ein anderes Gewand nehmen sollen? Der Gürtel war zu schmal, und die Steine in ihrem Stirnreif glänzten nicht so schön, wie sie vorher gedacht hatte . . . Sollte sie noch . . .?

In diesem Augenblick riefen von allen Türmen die Hörner der Wächter: Schiffe in Sicht! Das bedeutete, daß man sich beeilen mußte, um rechtzeitig am Ufer zu sein. So rief sie ihre Mägdlein, und sie gingen hinab in den Burghof, wo schon die Rosse warteten.

An der Spitze hielten die beiden Könige Gernot und Giselher. Ortwin von Metz hob die alte Königin aufs Pferd. Ihm fiel die Ehre zu, neben ihr zu reiten. Dann folgten Siegfried und Kriemhild, hinter ihnen der lange Zug der Ritter und Frauen des Hofes und der geladenen Gäste. So ritten sie durch die Gassen und zum Tore hinaus an den Rhein hinab zum Anlegeplatz.

Da zogen schon die Schiffe langsam den Strom herauf, auf dem vordersten wehte hoch am Mast die Fahne von Burgunden, gerade über König Gunther und der schönen Frau, die neben ihm stand. Nun knirschte der Kiel im seichten Uferwasser, und Ruderknechte warfen die Ketten herüber.

Der König reichte Brunhild die Hand, um sie über die Brücke ans Ufer zu führen. Ihr Fuß schritt über kostbare Teppiche aus dem Morgenland, aber sie sah es kaum. »Heil unserem König und unserer Königin!« schallte es aus den Reihen der burgundischen Ritter, aber Brunhild schien der Gruß nicht zu freuen. Frau Ute ging ihr freundlich entgegen, umarmte sie und hieß sie als liebe Tochter willkommen. Sie küßte die alte Königin flüchtig mit eiskalten Lippen. »Ich danke dir, Mutter Ute«, sprach sie leise, »aber es wäre für uns alle besser gewesen, wenn dein Sohn nie nach Isenstein gekommen wäre.«

Kriemhild sah die fremde Frau verwundert an. »Sie ist sehr schön«, dachte sie, »aber ich habe Angst vor ihr.« Als sie die schöne Schwägerin küßte, lächelte Brunhild zwar ein wenig, aber ihre Augen sahen aus, als ob sie lieber geweint hätte.

Ein Schiff nach dem andern hatte inzwischen angelegt, und auf dem weiten Felde zwischen Stadt und Fluß herrschte ein geschäftiges Treiben, bis Menschen und Pferde samt allem Hab und Gut sich am Ufer befanden und der lange Zug von Wagen, Saumtieren und Reitern sich endlich in Bewegung setzte.

Es dunkelte schon, als man in der Burg ankam. Im großen Saale brannten die Lichter, Kränze aus Blumen und Laub wanden sich um die Säulen, die riesige Tafel, an der die Gäste speisen sollten, war herrlich geschmückt.

Ehe das Mahl begann, stand König Gunther auf und bat Siegfried und Kriemhild, vor ihn zu treten. Das fröhliche Stimmengewirr brach augenblicklich ab, und es entstand eine erwartungsvolle Stille.

»Ich habe ein Versprechen einzulösen«, sprach der König zu Siegfried. »Du hast mich gebeten, dir unsere Schwester Kriemhild zur Frau zu geben. Das will ich gerne tun, und du sollst mir geloben, sie in Ehren zu halten, solange du lebst.«

»Ich gelobe es«, sprach Siegfried mit tiefem Ernst.

Gunther wandte sich zu Kriemhild. Sie stand zart und schmal vor ihm und wagte nicht aufzusehen.

»Und du, liebe Schwester, willst du Siegfried zum Gemahl .nehmen und ihm eine treue Ehefrau sein?«

»Ja«, antwortete sie leise.

Da brauste der Jubel im Saale auf wie ein Orkan. Alles drängte sich um die Verlobten. Niemand achtete auf Brunhild. Sie saß allein in dem reichgeschnitzten Stuhle oben an der Tafel, die Hände um die Armlehnen geklammert und starrte verwirrt zu Gunther hinüber, als hätte sie ihn nicht verstanden.

Man begann die Speisen aufzutragen, die Gäste suchten ihre Plätze auf, Gunther nahm seinen Sitz neben Brunhild wieder ein, Siegfried und Kriemhild gegenüber. Bald war man mitten in einem fröhlichen Mahle. Nur die Königin schien keinen Teil an all der Freude zu haben, sie aß nicht und sprach nicht, und Gunther fragte besorgt, was ihr denn fehle.

Eine Weile antwortete sie nicht. Dann sagte sie plötzlich mit leiser, zorniger Stimme: »Ich verstehe das alles nicht, König Gunther. Wie kannst du deine Schwester einem Dienstmann zur Frau geben? Nur einem König hättest du sie geben dürfen!«

Gunther zuckte zusammen. Ja, freilich, das kam von dieser Lüge droben in Isenstein! Warum hatten sie auch jemals gesagt, Siegfried sei ein Dienstmann! Es reute ihn heftig, aber das half nun nichts mehr.

Übelgelaunt schüttelte er den Kopf. »Ich kann es dir jetzt nicht erklären! Nur etwas will ich dir sagen: Siegfried ist nicht mein Dienstmann! Er ist ein freier König genau wie ich. Ihm gehört Nibelungenland, und nach seines Vaters Tod wird er auch König in Niederlanden sein.«

Brunhild schwieg. Ihre Augen waren ganz schmal geworden, wie Katzenaugen, und glitzerten vor Zorn. Also hatten Siegfried und Gunther sie in Isenstein belogen! Sie hatte es wohl geahnt, und sie würde es nicht vergessen! O nein, die Königin von Island beleidigte man nicht ungestraft!

Es gab wohl niemand bei diesem Gastmahl, der so übler Laune war wie König Gunther. Brunhild stand bald auf, sagte, sie sei müde von der Reise, und ließ sich nach ihrem Schlafgemach führen. Die burgundischen Kammerfrauen, die zu ihrem Dienst bereitstanden, schickte sie fort und ließ sich nur von ihren eigenen Mägden bedienen. Zwölf bewaffnete Ritter aus Island aber hielten die ganze Nacht Wache vor ihrer Tür.

Am Morgen segnete der Bischof im Dome den Bund der beiden Brautpaare. Bleich und schön wie ein Marmorbild stand Brunhild neben dem König, lieblich und strahlend Kriemhild an der Seite Siegfrieds.

Und nun begann ein Hochzeitsfest in Worms, von dem noch lange nachher in Stadt und Land erzählt wurde. In der Burg wanderten erst spät in der Nacht die Gäste müde, aber fröhlich nach ihren Gemächern, und bei manchem edlen Herrn hatte sein Knecht alle Mühe, ihn auf dem geraden Weg zu halten und heil in sein Bett zu bringen.

Auch der König schritt mit Brunhild nach dem Schlafgemach. Auf den weiten Gängen war es still geworden. Knechte und Mägde geleiteten sie mit den Lichtern bis zur Tür und gingen dann fort in ihre Kammern.

Brunhild stand unter der Tür einen Augenblick zögernd still.

Dann drehte sie sich rasch zum König um, der ihr folgen wollte, und versperrte ihm den Eingang.

»König von Burgunden«, sprach sie kalt, »du mußt dir eine andere Nachtherberge suchen! Du weißt, daß mich meine übermenschliche Stärke verläßt, sobald ich einen Gemahl nehme. Es gelüstet mich aber keineswegs, deinetwegen meine Kraft einzubüßen! Darum will ich allein bleiben!«

Gunther erstarrte vor Verblüffung. Was sagte sie da? Sie

konnte doch ihn, den König von Burgunden und ihren Gemahl, nicht einfach vor der Tür stehen lassen?

Aber Brunhild hatte sich schon abgewandt, war eingetreten und schickte sich an, die Tür zu schließen. Als er sie mit Gewalt zur Seite schob und sich den Eintritt zu erzwingen suchte, wurde sie sehr zornig. Und da sie viel stärker war als Gunther, nahm es für den König ein böses Ende: Sie band ihm mit einem langen, starken Gürtel Hände und Füße zusammen, trug ihn zu einem Nagel und hängte ihn an die Wand. Dann ging sie schlafen und kümmerte sich nicht mehr um ihn.

Die Nacht schien dem König recht lang und wenig wundersam. Erst als der Morgen durch die Fenster schien und draußen auf dem Gange schon die Dienstleute geschäftig hin und her liefen, befreite ihn Brunhild von seinen Fesseln. »Nun magst du schlafen«, sprach sie. Aber ihm war der Schlaf vergangen, und als ihre Mägde hereinkamen, sie anzukleiden, ging er sehr trüben Mutes fort, weit hinaus in den Garten, denn er mochte niemandem von den fröhlichen Gästen begegnen.

Siegfried hatte ihn aber gesehen, kam ihm nach und fragte, warum er so übler Laune sei. Beinahe hätte er gelacht, als er es erfuhr, aber er wollte den König nicht noch mehr kränken.

»Dem wird abzuhelfen sein«, sagte er gutmütig. »Haben wir sie in Isenstein besiegt, so wird es uns wohl auch hier gelingen. Ich stehe heute abend in der Tarnkappe an der Tür, wenn du mit Brunhild zur Kemenate gehst. Und damit du ein Zeichen hast, daß ich da bin, werde ich dem vordersten Kämmerer sein Licht auslöschen.«

Gunther zögerte. Die Königin würde es ihm und Siegfried nie verzeihen, wenn sie es je erführe! Aber gab es einen anderen Ausweg? Nein, er wußte keinen. Und Brunhild sollte ihn nicht ein zweites Mal so schmählich behandeln! So meinte er schließlich, Siegfrieds Plan sei gar nicht so übel, und stimmte zu. Dann begab er sich ein wenig erleichtert zu den Gästen.

Der Tag verging bei allerlei Spiel und Kurzweil. Als nun am Abend alles schlafen ging, geleitete auch der König seine Gemahlin nach der Kemenate. Voran schritten die Kämmerer, um zu leuchten. Als sie an die Tür kamen, verlöschte dem ersten plötzlich seine Leuchte. Er entschuldigte sich und meinte, ein Zugwind habe sie ausgeblasen. Aber Gunther wußte, daß Siegfried in der Tarnkappe wartete.

Als die Dienstleute gegangen waren, löschte Gunther sein eigenes Licht, und jetzt war es so stockdunkel, daß man keine Hand vor den Augen sehen konnte. Im nächsten Augenblick fühlte sich der König zur Seite geschoben: Siegfried war an seine Stelle getreten. An die Wand gedrückt, wartete er atemlos, was nun geschehen würde.

Brunhild aber begann alsbald das gleiche Spiel wie am Abend zuvor, ohne zu merken, daß sie einen anderen Gegner hatte. Als Siegfried neben ihr durch die Tür gehen wollte, versperrte sie ihm den Weg. Ehe er sich's versah, hatte sie seine Handgelenke ergriffen; umklammerte sie wie mit Schraubstöcken und schleuderte ihn zur Seite, daß sein Kopf mit einem häßlichen dumpfen Laut an eine Ecke schlug. Funken tanzten ihm vor den Augen, taumelnd suchte er sich irgendwo festzuhalten, aber seine Hände griffen ins Leere. Während er sich noch mühte, wieder zu Sinnen zu kommen, fühlte er sich abermals von ihren starken Armen umschlungen. Sie drückte ihn zwischen Wand und Schrank in einen engen Winkel, daß er meinte, alle Rippen müßten ihm zerbrechen. Er versuchte mit aller Kraft seine Hände zu befreien: Aber sie preßte ihm die Finger zusammen, daß ihm das Blut unter den Nägeln hervorsprang.

Ein seltsames Grauen faßte ihn an, während er da im Dunkeln mit ihr rang. Sie war keine Frau wie die anderen, die er kannte ... nein, sie war eine von den Walküren, die in uralter heidnischer Zeit über die Schlachtfelder ritten. So schien es ihm in seiner Verwirrung.

Er fuhr zusammen. Was hatte sie jetzt begonnen? Er wußte es im selben Augenblick: Sie versuchte, ihn mit ihrem Gürtel zu binden!

Da packte ihn eine entsetzliche Wut. »Das soll ihr nicht gelingen, und wenn sie mit dem Teufel selbst im Bunde wäre!« dachte er, und der Zorn verlieh ihm Riesenkräfte. Alle Sehnen an seinem Leibe spannten sich und wurden hart wie Stahl. Ein furchtbarer Ruck, der ihm fast die Hände aus den Gelenken riß: dann war er frei!

Brunhild stieß einen zornigen Ruf aus. Ja, nun hatte der Kampf sich übel gewendet! Zwar wehrte sie sich wie eine gefangene Wildkatze, und Siegfried merkte, daß sie kaum weniger stark war als er.

Aber allmählich erlahmte doch ihre übermenschliche Kraft. Sie fühlte es mit wilder Verzweiflung und begriff nicht, wie es zuging, daß sie diesmal unterlag! Wie ein Traumbild stieg noch einmal die Feste Isenstein in der Dunkelheit vor ihr auf. Nein, sie würde niemals wieder dahin zurückkehren . . . niemals wieder! Und alle Herrlichkeit war für immer vorbei.

Sie senkte die Arme. »Gib mir Frieden, König!« sagte sie, und ihre Stimme klang ganz fremd vor Zorn und Trauer. »Dies war mein letzter Kampf! Nun muß ich halten, was ich versprochen habe!«

Gunther hörte es mit großer Befriedigung. Und als er merkte, wie Siegfried an ihm vorüberging, betrat er getrost das Schlafgemach.

Siegfried aber nahm Brunhilds Gürtel und einen Ring, den er ihr beim Kampfe abgestreift hatte, mit sich und schlich sich leise fort.

Es war ihm nicht wohl zumute, und er vermochte sich seines Sieges nicht zu freuen. »Gunther hätte nie nach Isenstein fahren sollen, um Brunhild zu freien!« dachte er. »Sie wird immer eine Fremde unter uns sein. Und mit manchem Gast kommt Unheil ins Haus!«

Ein kalter Schauer lief ihm plötzlich über den Rücken. Schnell nahm er die Tarnkappe ab und ging nach Kriemhilds Kemenate.

Kriemhild blickte ihm verwundert und ein wenig neugierig entgegen, als er eintrat: Denn er war fortgegangen, ohne ihr zu sagen, was er zu dieser späten Stunde noch tun wollte.

Er schwieg auch jetzt und sah sehr ernsthaft aus, dachte sie beunruhigt, während sie ihn heimlich betrachtete. Irgend etwas war geschehen, und sie hätte es sehr gerne gewußt, was es war. Sollte sie fragen? Nein, Neugier war unhöfisch! Aber . . . es war gar nicht Neugier . . . sie fühlte plötzlich, daß sie Angst hatte!

Ehe sie es selbst recht wußte, ging sie hastig auf ihn zu. »Was ist geschehen, mein Gemahl?«

Er schüttelte den Kopf. »Nichts!« Aber sein Gesicht wurde nicht fröhlicher.

»Oh, mein lieber Gemahl«, fuhr sie bittend fort, »ich weiß, daß dir dennoch etwas begegnet ist! Willst du es mir nicht sagen?«

»Ich kann es dir nicht sagen: denn ich habe es versprochen!«

Aber die junge Königin hörte nicht auf zu bitten, und zuletzt erging es Siegfried, wie es Männern zu allen Zeiten ergangen ist: Er gab wider seinen Willen nach und erzählte, was sich zugetragen hatte.

»Niemand sollte es erfahren, auch du nicht!« fügte er ernst hinzu. »Aber nun, da du es einmal weißt, schwöre mir, daß nie ein Wort davon über deine Lippen kommen wird: denn es würde ein furchtbares Unheil daraus entstehen!«

Abermals fühlte Kriemhild, wie diese seltsame, grundlose Angst in ihr aufstieg, und sie versprach eilig, was Siegfried verlangte. Dann nahm sie Brunhilds Gürtel und Ring und verbarg beides zuunterst in einer Truhe.

Siegfried vergaß dies alles bald: Denn er hatte beschlossen, nun endlich heimzufahren nach Niederlanden und den Eltern seine schöne Gemahlin zuzuführen.

So machten sie sich, als die Festtage vorüber waren, auf die Reise. Ein großer Hofstaat folgte der jungen Königin in das fremde Land: viele Jungfrauen und Mägde und Graf Eckewart mit vierhundert Recken. Da herrschte große Freude in der Burg zu Xanten über die Heimkehr des Sohnes, von dessen ruhmvollen Taten ab und zu Kunde gekommen war.

König Siegmund setzte seinem Sohn die Krone aufs Haupt: Denn er selbst war nun sehr alt geworden. Willkür und Gewalt herrschten im Lande, und allerhand lichtscheue Gesellen trieben ihr Unwesen. Siegfried räumte bald unter ihnen auf. Wer ergriffen wurde, der wanderte ohne Gnade in den Turm, oder, wenn seine bösen Taten allzu laut zum Himmel schrien, knüpfte man ihn auf. Da machte sich das Gesindel lieber beizeiten aus dem Staube, das Volk hatte Ruhe, und der alte König freute sich, daß aus dem wilden Knaben Siegfried ein so guter Herrscher geworden war.

Königin Sieglinde erkrankte und starb bald darauf, kurze Zeit, nachdem Kriemhilds Sohn geboren war, den sie nach seinem Oheim Gunther nannten.

Die Zeit verging, sie lebten zu Xanten glücklich und in Frieden. Einmal kam Botschaft aus Burgunden: auch Brunhild hatte einen Sohn bekommen. Fahrende, die den Rhein herabkamen, erzählten vom Hofe zu Worms. Da sehnte sich die junge Königin zuweilen, ihre Mutter und die Brüder wiederzusehen; allein es war eine sehr weite Reise.

Am Hofe König Gunthers aber lebte man nicht mehr so fröhlich wie einst. Brunhild, die junge Königin, war immer ernst und schweigsam, und selbst ihr Söhnlein vermochte nur selten ein Lächeln in ihr blasses Gesicht zu locken.

Heimlich dachte sie viel an Siegfried und Kriemhild, und sie hätte gerne gewußt, ob ihre Schwägerin immer noch so schön war und so stolz darauf, Siegfrieds Gemahlin zu sein.

Und zuweilen, wenn sie nachts wachlag, kamen ihr viele seltsame Dinge in den Sinn. Dann schien ihr stets, es könne nicht mit rechten Dingen zugegangen sein, daß sie nun Königin von Burgunden war, und Kriemhild die Gemahlin Siegfrieds, von dem sie immer noch nicht wußte, ob er ein freier König oder ein Dienstmann Gunthers war.

Das ließ ihr keine Ruhe, und sie beschloß, es zu erfahren. „Mich wundert es, mein Gemahl«, sagte sie darum eines Tages, »daß dein Schwager Siegfried nie wieder an unseren Hof kommt wie andere dienstpflichtige Fürsten. Befiehl ihm doch, mit Kriemhild nach Worms zu fahren: Ich würde sie gerne wiedersehen!«

Gunther runzelte die Stirn. »Ich habe Siegfried nichts zu befehlen«, sagte er unmutig. »Du weißt, daß er König von Nibelungen und Niederlanden ist und nicht den Burgunden untertan!«

Sie hob heftig die Hand, daß die goldenen Armreife leise klirrten. »Ich glaube dir nicht, König Gunther! Denn Siegfried hat mir zu Isenstein selbst gesagt, er sei dein Dienstmann!«

Gunther dachte nicht gerne an diese Lüge, und er begann sich sehr unbehaglich zu fühlen. »Laß die alte Geschichte!« sprach er begütigend. »Und wenn es dir Freude macht, will ich Siegfried und Kriemhild und den alten König Siegmund zum Fest der Sonnenwende einladen!«

Er sah nicht, wie ihre Augen aufleuchteten. »Tue das!« sagte sie eifrig. »Und laß die Boten sogleich reiten: Denn die Zeit bis zur Sonnenwende wird schnell vergangen sein.«

So kam es, daß einige Tage vor dem Feste eine große glänzende Schar von Gästen durch die Gassen der Stadt Worms nach der Königsburg ritt.

Am Tore erwarteten sie die Burgunden mit ihrem Hofstaat. Frau Ute umarmte ihre strahlende Tochter. »Es ist gut, dich wiederzusehen«, sagte sie, und ihre alten Augen musterten Kriemhild aufmerksam. Dann nickte sie zufrieden. »Mich dünkt, du mußt sehr glücklich sein: Es steht in deinem Gesicht geschrieben.«

Sie wandte sich König Siegmund zu, um ihn freundlich zu begrüßen.

Brunhild stand neben Gunther, bleich und ernst wie stets. Sie küßte die Schwägerin mit kühlen Lippen. Sie ist noch schöner geworden, dachte sie, und sie ist so fröhlich, wie ich nie in meinem Leben sein werde.

Siegfried verneigte sich lächelnd vor ihr, und sie bot ihm die Wange zum Kuß, wie es die höfische Sitte verlangte. Aber sie sah ihn nicht an und sprach kein Wort. Am liebsten wäre sie fortgegangen, ganz allein, irgendwohin, wo niemand von den anderen war ... Sie gehörte nicht zu ihnen, nein, immer würde sie fremd unter ihnen sein ...

Aber sie war nun einmal Königin von Burgunden und Herrin eines reichen gastfreundlichen Hofes. Man durfte nicht sagen, sie habe schlecht für ihre Gäste gesorgt!

So begann das Fest dieser Sommersonnenwende zu Worms: Und niemand ahnte, was geschehen sollte, ehe es zu Ende war.

Einstweilen aber verging ein Tag nach dem anderen in eitel Fröhlichkeit. Kampfspiele wurden ausgetragen zwischen den Rittern aus Niederlanden und Nibelungen und den burgundischen Recken. Abends saßen Sieger und Besiegte einträchtig an der Tafel des Königs und schmausten und zechten bis spät in die Nacht. Die Fahrenden sangen und priesen die Taten der Helden, Fiedler und Pfeifer spielten zum Reigen auf dem Rasen unter der Linde. Herr Rumold, der Küchenmeister, hatte schwere Zeit, und Sindold, der Mundschenk, sah mit Schrecken, wie sich Fässer und Krüge im Keller mit unheimlicher Schnelligkeit leerten. Humolt, der Kämmerer, wußte längst nicht mehr, in welcher der Herbergen dieser oder jener Gast schlief. Aber da es auch die Gäste meist nicht mehr wußten, wenn sie lange nach Mitternacht aus dem Königssaale kamen, machte er sich darüber keine großen Sorgen.

Brunhild lenkte den großen Hofstaat mit Umsicht und Sorgfalt: Aber sie hatte keinen Teil an all der Freude.

Eine wunderliche Unrast war über sie gekommen, seit Siegfried und Kriemhild unter ihrem Dache wohnten. Kriemhild, die so schön und glücklich war . . . Oft betrachtete sie die Schwägerin heimlich mit düsteren Blikken. »Ich will sie nicht mehr sehen!« dachte sie manchmal und versuchte Kriemhild aus dem Wege zu gehen. Aber es gelang ihr nicht: Mit einer sonderbaren Gewalt zog es sie immer wieder in ihre Nähe. –

Bald schien es, als wären die beiden jungen Königinnen unzertrennlich, obwohl sie einander so wenig glichen wie Tag und Nacht. Sie gingen des Morgens miteinander zum Dom, die Messe zu hören, sie saßen beim Mahl nebeneinander an der Tafel, sie standen am selben Fenster, um zuzuschauen, wenn drunten im Hofe die Ritter sich im Kampfspiel tummelten.

Zwar war Brunhild immer ernst und schweigsam, aber Kriemhild fiel es nicht auf: Denn sie kannte ihre Schwägerin kaum anders.

Eines Tages fand ein großes Wettspiel statt, und die beiden Königinnen sahen vom Söller aus zu. Kriemhilds Gesicht leuchtete vor Freude, denn es gab unter den vielen Recken immer noch keinen, der sich mit Siegfried vergleichen konnte.

Brunhild starrte finster hinab und dachte an die Spiele auf Isenstein und an den letzten rätselhaften Kampf mit König Gunther.

»Niemand ist so stark und tapfer wie mein Gemahl«, sagte Kriemhild in ihrer Freude.

Brunhild wandte ihr langsam das Gesicht zu. Ihre Augen waren schmal wie Katzenaugen. »Meinst du?« sagte sie leise. »Du redest stolze Worte, Schwägerin! Dennoch hat König Gunther mich auf Isenstein besiegt, Siegfried aber hat es vorgezogen, zum Schiffe zu gehen.«

Kriemhild schaute verwundert auf: Was war das für eine feindselige Rede?

»Du willst doch nicht sagen, daß Siegfried zu – zu feige war, mit dir zu kämpfen?« fragte sie ungläubig.

Brunhild hob die Schultern. Dann sagte sie: »Freilich – er hätte es als Dienstmann deines Bruders auch nicht wagen dürfen, um die Königin von Island zu werben!«

Kriemhild starrte sie an. Siegfried ein Dienstmann! »Was fällt dir ein?« sprach sie atemlos. »Glaubst du denn, mein Bruder hätte mich einem dienstpflichtigen Fürsten zur Frau gegeben?«

»Siegfried hat es mir selbst gesagt.«

»Nein!« fuhr Kriemhild auf. »Jetzt lügst du! Das ist nicht wahr!«

»Ich will dir zeigen, daß es wahr ist«, sprach Brunhild. »Höre zu! Bis jetzt habe ich dir erlaubt, neben mir in den Dom einzutreten. Heute werde ich vorausgehen, und du wirst warten.« Damit verließ sie den Söller.

Zitternd vor Zorn ging Kriemhild nach ihrer Kemenate. »Siegfried ein Dienstmann! Das soll sie mir büßen!« war ihr einziger Gedanke.

Sie rief sogleich ihre Mägde, ließ sich mit den kostbarsten Gewändern bekleiden, legte herrliches Geschmeide aus dem Nibelungehort an und befahl auch ihren Jungfrauen, sich reich zu schmücken.

Zuletzt nahm sie aus einer versperrten Truhe zwei Gegenstände, die sie eilig in ihrem Kleid verbarg. Dann ging sie mit ihrem Gefolge zum Dom, die Vesper zu hören. Aus dem Innern tönte schon der Chorgesang der Mönche. An den Stufen stand Brunhild mit ihren Jungfrauen.

»Warte hier!« rief sie Kriemhild hochmütig zu, »denn es ziemt sich, daß die Königin vor der Frau des Dienstmannes eintritt.« Und sie schickte sich an, die Stufen hinaufzusteigen.

Aber da trat Kriemhild mit raschen Schritten dicht an sie heran, ihr Gesicht glühte. »Oh, hättest du doch geschwiegen, es wäre besser für dich gewesen! Jetzt aber gib acht! Erinnerst du dich noch an jene Nacht, in der du Gunther so schnöde mißhandelt und gebunden hast? Damals warst du noch stärker als er. Und erinnerst du dich auch an die zweite Nacht, als du glaubtest, du könntest es wieder so treiben, bis du dich ergeben und um Gnade bitten mußtest? Du meinst, Gunther hätte dich bezwungen? Aber – da, sieh her!«

Blitzschnell zog Kriemhild etwas aus ihrem Gewand. »Kennst du diesen Ring? Und diesen Gürtel?«

»Mein Ring und mein goldener Gürtel!« stieß Brunhild hervor. »Ich vermisse sie schon lange. Nun weiß ich, wer sie gestohlen hat.«

»Nein, du weißt es nicht, aber ich will es dir sagen, Königin von Burgunden«, sagte Kriemhild voll wildem Triumph. »Siegfried hat sie dir abgenommen, als er, nicht Gunther, dich in der zweiten Nacht besiegte!«

Brunhild war totenbleich geworden, mit weit aufgerissenen Augen starrte sie ihre Schwägerin an.

»Du lügst! Du lügst!« flüsterte sie heiser. »Sag sofort, daß du gelogen hast!«

Kriemhild gab keine Antwort mehr. Sie wandte sich um und schritt an der Königin vorbei in den Dom. Brunhild stand noch da wie betäubt. Plötzlich schlug sie die Hände vors Gesicht und begann vor Zorn und Scham zu weinen. »Ruft mir den König!« befahl sie ihren Frauen. »Er soll hören, wie seine Schwester mich beleidigt hat!« Sie dachte nicht mehr daran, zur Vesper zu gehen. Gedemütigt, belogen und betrogen kam sie sich vor, und das konnte die stolze Brunhild nicht ertragen.

Gunther kam eilig und erschrocken. Schluchzend erzählte die Königin, was Kriemhild ihr angetan hatte. Allmählich versiegten ihre Tränen, aber ihm graute, als er ihr versteinertes Gesicht sah.

»Nun wähle, König von Burgunden!« sprach sie endlich. »Schaffst du mir Sühne – gut. Tust du es nicht, so fahre ich heim nach Island.«

Umsonst versuchte er, ihr gütlich zuzureden. Sie blieb hart.

»Ihr habt mich betrogen, du und Siegfried, und er hat gewiß mit Kriemhild über mich gelacht, als er ihr alles erzählte und ihr meinen Ring und meinen Gürtel schenkte. Ihr habt mich zum Gespött gemacht. Das werdet ihr noch bitter bereuen!«

Da wußte sich der König keinen Rat mehr. Er kannte Brunhild: Sie würde die Schmach nie verzeihen.

»Ich will Siegfried bitten, herzukommen«, sagte er, »und ihn fragen: Denn ich kann nicht glauben, daß er schlecht über dich gesprochen hat.«

Ein Kämmerer lief eilig in die Burg, Siegfried zu suchen. Der wunderte sich nicht wenig, als er die Königin in Tränen und Gunther so verstört fand. Die burgundischen Ritter empfingen ihn mit feindlichem Schweigen.

»Es tut mir deinetwegen leid«, begann Gunther unsicher, »aber du sollst hören, was geschehen ist, und uns die Wahrheit sagen.«

Siegfried wurde immer ernster während Gunthers Erzählung. Er begriff sogleich, daß dies nicht leichtzunehmen war.

»König von Burgunden«, sagte er, »ich bin bereit, einen Eid zu schwören, daß ich nie ein unehrerbietiges Wort über die Königin gesprochen habe. Frauen sitzt im Zorn die Zunge locker. Ich will mit Kriemhild reden und ihr verbieten, jemals wieder so leichtsinnig böse Reden zu führen. Du magst Brunhild dasselbe sagen! Flinke Weiberzungen haben schon viel Unheil angerichtet.«

Die burgundischen Recken waren um sie zum Ring zusammengetreten.

Siegfried stand in ihrer Mitte und hob die Hand zum Schwur.

Da wehrte der König ab. »Ich weiß, daß du die Wahrheit gesprochen hast. Den Eid erlasse ich dir!«

Brunhild war mit ihren Jungfrauen fortgegangen nach der Burg. Sorgenvoll folgte ihr Gunther, denn er wußte nicht, was daraus noch werden sollte. Die Königin aber schloß sich in ihrer Kemenate ein und empfing niemanden.

Im Rittersaal saßen die Könige und ihre Herren beieinander, unruhig, zornig, ratlos. Sie redeten dies und das, aber einen Ausweg fanden sie nicht.

Nach einer Weile stand Hagen auf. »Ich gehe zur Königin.«

Er wurde eingelassen und sprach lange mit Brunhild.

Als er in den Rittersaal zurückkam, sah er auf eine unheimliche Weise noch finsterer aus. Gunther betrachtete den Oheim mit Grauen. Was brachte er? Niemand mochte fragen.

Hagen grub die Hände tief hinter den Gürtel und zog die Schultern hoch. Er sah Gunther an. »Die Königin verlangt Siegfrieds Tod.«

Sie fuhren nicht einmal vor Schrecken auf, denn sie hatten es bei sich selbst alle gedacht, wenn es auch keiner zu sagen wagte: Brunhilds Haß war maßlos wie ihr beleidigter Stolz und forderte Blut.

Gunther starrte zu Boden. »Siegfried hat uns nichts getan. Er ist unser Freund und vertraut uns. Er hat für uns gegen die Sachsen und Dänen gekämpft. Wir dürfen es nicht tun!«

Hagen stieß das Kinn nach vorne, daß sein schwarzer Bart in die Luft stach. »Er hat die Königin von Burgunden beleidigt! Niemals hätte er Kriemhild erzählen dürfen, was sich in jener Nacht zugetragen hat. Nun weiß es alle Welt, weil Kriemhild ihre Zunge nicht hüten konnte. Dafür muß die Königin Sühne haben!«

Da sprang Giselher auf. Sein junges Gesicht war bleich. »Ihr dürft es nicht, hört ihr? Seid ihr denn wahnsinnig geworden? Wegen eines Streites unter Frauen unseren besten Freund zu töten?« Sie antworteten ihm nicht. Er merkte, wie sie sich von ihm zurückzogen. Sie umstanden Gunther und Hagen und berieten leise miteinander: Ihn aber hatten sie ausgeschlossen. Giselher überlegte verzweifelt. Er mußte Siegfried warnen! Aber dann mußte er seine eigenen Brüder anklagen! Was sollte er tun? Er verließ den Saal, denn hier mochte er nicht bleiben. Vielleicht, daß ihm doch ein Ausweg einfiel. Oder vielleicht würden sie es zuletzt doch nicht tun! Nein, gewiß nicht! Wenn sie erst wieder ruhig geworden waren, mußten sie den schrecklichen Wahnwitz erkennen!

Hagens Blick forschte in den Gesichtern der Männer ringsum. Manche sahen ihn erwartungsvoll an, begierig, zu hören, was er sagen und tun würde. Viele Augen wichen ihm aus. Gunthers Hand lag um den Schwertknauf, als klammere er sich daran fest, die Knöchel waren weiß. Gernot starrte bleich an ihm vorüber durchs Fenster, Schweiß stand ihm auf der Stirn. Almählich überzog es wie ein Lachen voll Bitternis und Ingrimm Hagens dunkles Gesicht. Schwerfällig reckte er die gewaltigen Schultern: Ja, nun mußte er es auf sich nehmen, er ganz allein . . . Keiner würde ihm helfen, die furchtbare Last seiner Tat zu tragen.

»Ihr wißt, ich bin niemals Siegfrieds Freund gewesen!« begann er endlich zu reden. »Ich wußte es schon, als ich ihn zum erstenmal da drunten in den Hof reiten sah. Meiner Treu, König Gunther, ich hätte ihm damals auf seine hochmütigen Reden mit dem Schwerte geantwortet – wäre nicht dein Bruder Giselher gewesen! Du sagst, er habe für uns gegen die Sachsen und Dänen gekämpft: Das ist wahr! Und der Kampf hat ihm so viel Ehre eingebracht, daß auf allen Burgen den Rhein hinauf und hinab jeder Troßbub von Siegfried redet! Sein Ruhm ist längst größer als der Ruhm der Burgundenkönige! Das gefällt mir nicht! Allein dies letzte ist noch viel schlimmer: Denn es bringt Spott und Schande über euch! Ich sage euch aber, ich werde es nicht leiden, daß man auf den Schlössern und an den Fürstenhöfen über die Burgunden lacht!«

Hagen hatte immer lauter und zorniger gesprochen. Jetzt schwieg er einen Augenblick und starrte vor sich auf den Boden.

Dann hob er den Kopf. Die Narbe, die sich von der Stirn zur Wange herabzog, färbte sich langsam dunkelrot: Er sah schrecklich aus.

Aber als er jetzt wieder zu reden anhub, war seine Stimme

leise, fast als fürchte er sich oder, vielleicht auch, als schäme er sich, dies auszusprechen.

»Es kann nur mit List geschehen, denn gegen Siegfrieds Stärke und sein Schwert Balmung nützt keine Gewalt, und die Haut aus Drachenblut macht ihn unverwundbar. Nur zwischen seinen Schultern klebte ein Lindenblatt, als er im Blut des Lindwurms badete: Die Stelle will ich mir von Kriemhild genau bezeichnen lassen. Und dann – dann braucht nur ein Ger geschickt geschleudert zu werden . . .«

Gunther wandte sich heftig ab, als wollte er gehen. Sein Gesicht war plötzlich grau und verfallen.

»Kriemhild wird die Stelle nicht verraten«, meinte Gernot hoffnungsvoll. Er hätte lieber nichts von diesem bösen Plan gewußt und mochte nichts damit zu tun haben.

Hagens Mund verzog sich spöttisch. »Sie wird es tun, verlaß dich darauf, ich weiß ein sicheres Mittel. Wir machen sie und Siegfried glauben, daß es wieder Krieg mit den Sachsen und Dänen gibt. Dann wird Kriemhild sich ängstigen um ihren Gemahl, und ich werde sie bitten, mir auf seinem Gewande die verwundbare Stelle mit einem Kreuzlein zu bezeichnen, damit ich ihn im Kampfe mit meinem Schilde schützen könne. Habt ihr verstanden?« Er blickte sich im Kreise um. Keiner sah ihn an, keiner gab Antwort. Sie wußten alle, daß es feiger Mord war.

Da zuckte Hagen die Schultern. »König Gunther, ich wollte nicht, daß du nach Island fuhrst, um Brunhild zu werben. Aber nun ist sie Königin von Burgunden, und ich bin mein Leben lang ein treuer Dienstmann der Burgundenkönige gewesen.« Damit schritt er aus dem Saale. Niemand folgte ihm.

Seit diesem Tage ging es in den Gängen und Sälen der Burg um wie ein Gespenst. Sie wagten einander nicht in die Augen zu schauen, sie standen beisammen und flüsterten. Wenn Siegfried oder Giselher in die Nähe kamen, schwiegen sie sogleich und gingen auseinander.

Hagen aber bereitete heimlich und sorgfältig seine böse Tat vor. So erschienen eines Tages wieder Boten vor König Gunther und gaben an, sie kämen von Lüdegast und Lüdeger, um den Burgunden neue Fehde von ihren Königen anzusagen. Niemand zweifelte daran, daß sie die Wahrheit sprachen; denn sie trugen sächsische und dänische Rüstungen, und niemand kannte sie.

Siegfried fuhr zornig auf, als er ihre Botschaft hörte. »Wir haben ihnen Leben und Freiheit geschenkt, und sie lohnen es mit Verrat! Nun – so sollen sie ihre Fehde haben, aber diesmal gibt es keine Schonung mehr!«

In Hagens Augen blitzte es auf: Er hatte ja gewußt, daß Siegfried in die Falle gehen würde!

Gunther gab sich den Anschein, als glaube er den Boten, und gab Befehl, sofort zum Kriege gegen die wortbrüchigen Könige zu rüsten. Auch Siegfried hieß seine Recken sich bereitmachen und bat Kriemhild, ihm sein Streitgewand zuzurichten. Sie tat es mit Sorge, denn sie kannte seine Kühnheit und fürchtete immer, einmal könnte doch im Kampfgetümmel ein Speer ihn an der Stelle treffen, die verwundbar war.

Hagen trat in ihre Kemenate: Er wollte Abschied nehmen, wie er vorgab.

»Warum machst du dir Sorgen?« fragte er, scheinbar verwundert, als er ihre verweinten Augen sah. »Siegfried ist doch unverwundbar und wird also viel sicherer heil zu dir heimkehren als wir anderen.«

»Ach, du weißt es nicht!« antwortete sie traurig und erzählte ihm die Geschichte vom Lindenblatt, die er schon kannte.

»Wenn es nur das ist, weiß ich Rat«, sagte er, ohne sie anzusehen. »Du bezeichnest mir die Stelle auf seinem Streitgewand mit einem Kreuzlein, und ich werde im Kampfe meinen Schild über ihn halten.«

»Oh, das lohne dir Gott!« sprach Kriemhild dankbar. »Du bist sehr gut, Oheim!«

Er verzog unbehaglich das Gesicht und zog den Kopf

zwischen die Schultern. Nein, es durfte nicht sein, daß sie ihm auch noch dafür dankte . . .

»Sei doch still!« stieß er unwirsch hervor.

Sie hatte schon eilig Siegfrieds Streitgewand wieder geholt und stickte nun ein kleines Kreuzlein gerade unter der Schulter hinein.

Hagen atmete auf. Nun konnte er gehen. Es war alles getan, was zu tun war. »Aber wahrhaftig, ich wollte, es wäre vorüber!« murmelte er, während er den Gang hinabschritt.

Am Morgen ritten sie fort: die Könige von Burgunden mit ihren Recken und Siegfried mit tausend seiner Mannen.

Hagen aber hatte zu Gunther gesagt: »Ich lasse nun gleich die neuen Boten kommen, die den Krieg absagen. Und du ladest uns dann zur Jagd, anstatt zum Kampfe!«

Und so geschah es. Vor dem Tore kam den Burgunden ein Häuflein fremder Reiter entgegen. Sie verlangten, vor den König geführt zu werden, und meldeten, ihre Herren Lüdegast und Lüdeger wollten nun doch vom Kampfe abstehen: Man möge ihnen Frieden gewähren.

»So sind wir also diese Heerfahrt los«, sprach Gunther. »Aber da wir schon einmal in Waffen ausgezogen sind, wollen wir zu einer großen Jagd in den Odenwald reiten. Das Raubwild hat so überhandgenommen, daß die Bauern ihres Lebens nicht mehr sicher sind. Ich verspreche euch reiche Beute, ihr Herren!«

Er verstummte plötzlich, und ein Schauder überlief ihn, als er daran dachte, was auf dieser Jagd geschehen sollte. Er konnte nicht ja und konnte nicht nein dazu sagen. Wohl schämte er sich der Meintat: aber er vermochte nichts gegen Brunhild und Hagen. Die Königin würde ihre Drohung wahrmachen, nach Island heimkehren und Schmach über die Burgunder bringen. So mußte das Schicksal seinen Lauf nehmen . . .

Also wurde das Kriegsvolk entlassen, man rief die Jägermeister mit ihren Knechten und den Hunden zusammen, die Hörner bliesen; es klang hell und fröhlich im Sonnenschein.

Giselher aber mochte nicht auf die Jagd reiten, denn es bedrückte ihn sehr, daß er Siegfried nicht warnen konnte, weil er nicht wußte, wann und woher ihm die Gefahr drohte. Auch Gernot erklärte schließlich mißgestimmt, er wolle daheim bleiben.

Siegfried trat noch einmal zu Kriemhild in die Kemenate. Sie lief ihm entgegen, und er sah verwundert, daß sie sich vor irgend etwas fürchten mußte.

»Du reitest zur Jagd?« stieß sie atemlos hervor. »Tu es nicht, ich bitte dich! Ich habe geträumt, du gingst über eine Heide und zwei wilde Eber verfolgten dich, und plötzlich warst du nicht mehr da, und Gras und Blumen waren rot von Blut! Da wachte ich vor Entsetzen auf, und als ich wieder einschlief, sah ich dich wieder. Du gingst durch eine Schlucht, da stürzten von beiden Seiten die Berge über dir zusammen und begruben dich. Oh, Siegfried, reite heute nicht, ich fühle, daß etwas Entsetzliches geschieht . . .« Sie war so verzweifelt, daß er sie kaum zu beruhigen vermochte.

»Kümmere dich nicht um Träume«, redete er ihr freundlich zu, »sie haben nichts zu bedeuten. Bedenke doch, wie die anderen alle lachen würden, wenn ich um eines Traumes willen daheim bliebe!«

So mußte sie ihn endlich gehen lassen.

Gleich darauf ritten die Jäger zum Tore hinaus, dem Odenwalde zu. Die Hunde kläfften aufgeregt, und die Knechte, die sie führten, ließen sich fröhlich hin und her zerren. Die Köche zogen mit ihren vollbeladenen Saumtieren gemächlicher hinterdrein, und die Küchenbuben hatten Zeit, sich unterwegs ein wenig zu balgen und einander allerhand Schabernack anzutun.

Nur die Herren ritten schweigsam, selbst Siegfried hatte seine gewohnte Fröhlichkeit verlassen. Einmal drängte Hagen sein Pferd dicht hinter ihn und starrte das kleine

Kreuzlein aus Silberfäden unter seiner Schulter an, als wollte er sich's genau einprägen.

Allmählich rückte der Wald näher, der Boden wurde steiniger und begann anzusteigen. Da hielt Hagen an. »Ich schlage vor, daß wir uns trennen«, sagte er. »Jeder von uns mag mit seinen Jägern und Hunden auf eigene Faust jagen! Wir wollen sehen, wer die größte Beute macht.«

Also ritten sie auseinander, jeder nach einer anderen Richtung in den Bergwald hinein. Es war ein wilder Wald mit bärtigen alten Bäumen, deren Äste bis auf den Boden reichten, Felsblöcke lagen umher, dunkle kleine Schluchten öffneten sich, in die noch nie ein Sonnenstrahl gefallen war. Eine eiskalte Moderluft schlug heraus, und seltsame, giftige Blumen wuchsen darin, von einer häßlichen, kranken Farbe. Lichtungen strahlten freundlich auf, wo die Sonne schien und wo man hätte bleiben mögen.

Siegfried ritt langsam fürbaß. Die Hunde waren schon sehr unruhig, von allen Seiten kam ihnen die Witterung von großem Raubwild zu und machte sie toll. Jaulend warfen sie sich in die Riemen und versuchten links und rechts auszubrechen. Ein junger Hirsch sprang ganz nahe aus dem Dickicht auf und setzte in hohen Fluchten vorüber.

Da hielt Siegfried sein Pferd an. Er fühlte, wie ihn die Jagdlust packte. »Laßt die Hunde los!« befahl er und machte den Bogen und den Köcher mit den Pfeilen griffbereit. Sein Speer lag über dem Sattel, Balmung hing ihm an der Seite.

Voll Eifer warfen sich die Hunde ins Dickicht, wo es am dunkelsten war. Ein böses Brummen drang heraus, einer der Hunde heulte erbärmlich auf, Zweige krachten: Ein zottiges braunes Ungetüm schob sich durchs Unterholz, ein riesiger Bär erschien auf der kleinen Waldblöße. In seinem Pelz verkrallt hingen drei Hunde, der vierte hinkte winselnd hinterdrein, er blutete an der Schulter. Der Bär stand wie angewurzelt still, als er die Jäger erblickte. In seinen kleinen Augen blitzte es böse auf. Langsam, beinahe bedächtig, richtete er sich auf. Einer der Hunde fuhr ihm unvorsichtig an den Bauch: Er flog wie ein Ball zur Seite. Siegfried beobachtete jede Bewegung des Bären genau, den Speer wurfbereit in der Rechten. Sein Pferd stand wie eine Statue, nur manchmal lief ein Zittern über sein Fell, und ein leises, zorniges Schnauben verriet, wie zuwider ihm die Witterung des Raubtieres war. Jetzt tat der Bär den ersten Schritt. Im gleichen Augenblick flog der Speer aus Siegfrieds Hand, mit furchtbarer Kraft geschleudert; er fuhr dem Bären durchs Auge, und es war, als hätte ihn der Blitz getroffen. Das Tier erstarrte mitten in der Bewegung, stand noch einen Augenblick hoch aufgerichtet und stürzte dann zu Boden.

Unterdessen aber zog jenseits des dichten Gehölzes zur Rechten, unbemerkt von den Jägern und unbeachtet selbst von den Hunden, denen die Witterung des Bären zudringlicher erschien, eine Herde Auerrinder ruhig äsend über die Waldwiese. Der Leitstier hob den Kopf, als der Lärm der Jagd zu ihm drang. Ein tückischer Blick kam in seine Augen, er stieß ein kurzes, warnendes Murren aus. Er wandte sich, begann an der Herde entlang zurückzutraben und drängte sie seitwärts nach dem tiefen Walde. Sie gehorchte sofort. Der Stier stand unschlüssig und horchte nach den Menschen und den Hunden hinüber. Da ging es wie ein Schlag durch seinen riesigen Körper: Er hatte die Stimme seines Erzfeindes, des Bären, gehört, der die Kälber seiner Herde riß! Was nun kam, geschah so schnell, daß nachher niemand recht wußte, wie es geschehen war. Die Hufe des Stieres fetzten den Rasen aus dem Boden, so stürmte er los.

Siegfrieds Pferd erstarrte jäh. Tief aus seiner Brust kam dieser seltsame, fast knurrende Laut, der allerhöchste Gefahr bedeutete. Zugleich prellte es so hart zur Seite, als wären seine Beine aus Holz. Es war ein häßlicher Sprung, und das edle Tier schämte sich seiner. Aber er rettete Roß und Reiter das Leben. Es rauschte, splitterte, krachte im

Unterholz, der mächtige Schädel erschien, und im nächsten Augenblick fuhr das weiße Horn mit der mörderischen schwarzen Spitze dicht an der Flanke des Pferdes in die Höhe.

Siegfried biß die Zähne zusammen: Ja, nun war sein Leben wohl nicht mehr viel wert, ein wütender Auerochse war ein furchtbarer Feind! Es war keine Zeit und auch kein Platz zur Flucht, denn ringsum wucherte dichtes Gehölz, und jetzt senkte der Stier abermals den Schädel mit den entsetzlichen Hörnern zum Stoß, während er aus den kleinen blutunterlaufenen Augen zu ihm heraufschielte.

Siegfried hatte den Speer aus dem Kopf des Bären gerissen, als sein Pferd den verzweifelten Sprung tat. Blitzschnell fuhr jetzt sein Arm in die Höhe und wieder herab: Der Speer grub sich tief zwischen die Schultern des Stieres.

Das gewaltige Tier zuckte zusammen und schien zu erstarren.

Siegfried wartete atemlos. Wehe, wenn er nicht gut getroffen hatte! Der Schmerz würde das Untier rasend machen, und dann . . . Da begann der gehörnte Schädel auf eine sonderbare Weise zu schwanken, ein Beben durchlief den riesigen Leib, und dann stürzte der Stier mit einem dumpfen Ächzen in die Knie und legte sich schwer auf die Seite.

Im Handumdrehen war Siegfried aus dem Sattel gesprungen. Er schlang den Arm um den Hals des Hengstes, der mit zitternden Flanken dastand. »Mich dünkt, diesmal ist es uns beiden nahe genug gegangen«, murmelte er und mußte ein paarmal tief Atem holen.

Indessen kamen auch die Jäger mit den Hunden gelaufen. Sie schrien laut vor Verwunderung, als sie den erlegten Auerochsen erblickten. Hei, gab es einen größeren Jäger als ihren Herrn? Ehe man sich dessen versah, hatte er den Bären und den Stier getötet, und die Jagd hatte doch noch kaum begonnen!

Während sich die Knechte daran machten, die Jagdbeute

zu zerteilen und nach dem Lager zu schaffen, drangen die Jäger behutsam weiter in die Wildnis ein.

Mittlerweile war es überall im Walde lebendig geworden, das Gelärm der Hunde und die Witterung der Menschen jagte vielerlei Getier auf.

Der Boden war jetzt sumpfig, kleine ölige Tümpel schimmerten zwischen den schwankenden Rasenpolstern, zur Rechten lag ein Dickicht von hohem Schilfrohr und anderen Sumpfpflanzen. Darin hatten die Hunde alsbald ein Rudel Wildschweine aufgespürt. Ein feister Eber wurde erlegt und ein paar von den gestreiften Frischlingen, deren Fleisch zart und saftig schmeckte, danach noch zwei Hirsche und allerlei kleines Wild.

Die Sonne stand schon westlich über den Bergen, als der Jägermeister sagte: »Herr, ich höre die Hörner rufen. Wir müssen umkehren zum Lager, es wird sonst Nacht, ehe wir daheim sind.« So machten sie sich auf den Rückweg nach dem Lagerplatz, wo schon die Küchenleute über ihren Feuern brieten und kochten.

Die Jagd hatte Siegfried die trübe Laune vertrieben, und er hörte fröhlich den Jägern zu, die mit ihrer reichen Beute prahlten.

Als sie sich der Lichtung näherten, wo er den Bären erlegt hatte, prallte sein Pferd plötzlich zurück und wollte nicht weiter. Die Hunde zerrten wie rasend an ihren Riemen. Da – was war denn das? Da, wo der tote Bär gelegen war, stand jetzt ein lebender! Er fuhr mit der Nase über den Boden, trottete ein wenig hin und her und stieß manchmal ein kurzes, ratloses Brummen aus. Das mußte die Bärin sein, die ihren Gefährten suchte! Jetzt hatte sie die Jäger gewittert, sie hob den Kopf und sah herüber. Aber die Witterung des toten Bären mochte ihr unheimlich erscheinen: Sie griff nicht an, sondern wandte sich zur Flucht. Siegfried spornte sein Pferd und setzte ihr nach. Aber da ging es vor ihm steil abwärts! So sprang er ab und lief hinter der Bärin her, einen langen, starken Lederriemen aus dem Gürtel ziehend. Noch ein letzter

Sprung – dann hatte er sie eingeholt, packte sie im Genick und wand ihr, so schnell er konnte, den Riemen viele Male um das Maul, ehe sie noch Zeit fand, sich zu wehren. Nun, da sie nicht mehr beißen konnte, band er ihr auch die Vorder- und Hinterbeine, obwohl sie wütend nach ihm zu schlagen versuchte und schrecklich mit ihrem verbundenen Maul brummte. Dann lud er sie hinter sich auf den Sattel, und so kamen sie zum Lagerplatz.

Die burgundischen Herren waren schon da, auch sie hatten viel Beute gemacht.

Die Knechte liefen herzu, Siegfried sein Pferd und den – wie sie meinten – toten Bären abzunehmen. Da sprangen sie freilich entsetzt zurück, als der tote Bär sie bitterböse anbrummte und seine Äuglein blutdürstig funkeln ließ! Siegfried lachte und band das Tier los. Er nahm ihm den Riemen ab, der Bär stand ein kleines Weilchen unschlüssig still, dann trottete er dem Walde zu. Die Hunde schlugen einen fürchterlichen Lärm, die Küchenbuben hockten hinter ihren Feuern und schrien aufgeregt. Das verwirrte den Bären so, daß er nicht mehr wußte, wohin er sollte, und zuletzt unter die entsetzten Küchenleute geriet. Er stieß Töpfe und Pfannen um, so daß manches gute Gericht in der Asche endete. Der dicke Koch fiel vor Schrecken auf den Rücken und blieb liegen, weil er dachte, nun würde ihm der Bär ja doch gleich den Garaus machen, und es lohnte sich darum gar nicht, erst noch aufzustehen.

Siegfried sprang endlich dem Tiere nach und tötete es mit dem Schwerte.

Als die Herren später beim Mahle saßen, wartete Siegfried vergebens, daß man Wein einschenken sollte, denn er war durstig.

»König Gunther«, fragte er schließlich, »willst du uns heute verdursten lassen? Deine Köche haben gut für uns gesorgt, wo bleibt nun der Mundschenk?«

Gunther gab nicht gleich Antwort. Es würgte ihn im Halse, daß er kaum atmen konnte.

»Ja – siehst du –«, begann er, »es ist Hagens Schuld!«
Er stockte.

Hagen redete aber sogleich weiter. »Ich muß mich selber
schuldig sprechen an diesem Versehen! Denn ich dachte,
wir würden jenseits des Bergrückens lagern, und habe die
Knechte mit dem Wein dorthin bestellt. Aber wir brauchen dennoch nicht zu dürsten: dort drüben am Rande
der Wiese ist eine kleine Quelle, die herrliches Wasser
hat.«

Siegfried sprang auf. »So muß ich hin! Ehe ich nicht
getrunken habe, mag ich nicht essen!«

Auch Hagen stand auf. »Warte ein wenig!« sprach er,
»wir wollen um die Wette laufen! Ich habe gehört, niemand könnte dich einholen.«

Siegfried lachte. »Das können wir gerne tun. Und siehst
du, ich nehme noch alle meine Waffen mit mir, du aber
magst frei und ledig laufen!« Schnell gürtete er sein
Schwert um, warf Bogen und Köcher über die Schulter
und nahm Schild und Ger. Sie liefen wie zwei Panther in
langen, geschmeidigen Sprüngen: zuerst nebeneinander,
dann blieb Hagen immer weiter zurück. Gunther und die
anderen folgten ihnen zögernd.

Im Westen sank die Sonne hinter die Berge, ein kalter
Hauch lief über Blumen und Gras, alle Farben schienen
auszulöschen. Den Männern rann ein Schauder über den
Rücken.

Siegfried stand schon an der Quelle und wartete. Er war
sehr durstig, aber er wollte Gunther zuerst trinken lassen.
Eben hatte er seine Waffen abgelegt, als Hagen ankam,
ein wenig keuchend, denn er war nicht mehr jung.

»Ja – nun hast du mich geschlagen«, sprach er mürrisch.
»Dennoch wirst du wohl der beste Läufer in Burgunden
sein«, tröstete ihn Siegfried gutmütig und rief ungeduldig:
»Beeile dich, König Gunther, du sollst als erster trinken!«
Gunther gab keine Antwort. Er kniete nieder, beugte sich
über die Quelle und trank lange. Hagen nahm indessen
verstohlen Siegfrieds Schwert und Bogen und verbarg

sie hinter einem Felsblock. Jetzt erhob sich Gunther und ging, ohne sich umzusehen, ein paar Schritte weit fort in den Wald hinein.

Siegfried aber beugte sich nieder und trank.

Da ergriff Hagen den Ger und trat hinter ihn. Er zielte auf das silberne Kreuzlein und stieß zu.

Ein Blutstrahl sprang auf und rann über Hagens Gewand. Da ließ er den Speer in der Wunde stecken und floh.

Siegfried fuhr taumelnd empor und wollte nach seinem Schwerte greifen. Es war fort. Da ergriff er den Schild und rannte Hagen nach. Aus seinem Rücken ragte der Speer. Hagen aber lief, wie er noch nie in seinem Leben vor einem Manne gelaufen war. Dennoch holte ihn Siegfried ein und schlug ihn mit dem Schild zu Boden. Dann aber schwand seine Kraft, denn das Blut strömte unaufhaltsam aus der Wunde. Er sank ins Gras.

Zögernd kamen die Burgunden näher. Da richtete er sich mühsam noch einmal auf. »Das ist also euer Lohn für meine Freundschaft und alle meine treuen Dienste? Nun habt ihr eure Rache für Brunhild. Aber es wird euch ewige Schande sein!«

»Es tut mir leid, daß es so gekommen ist«, murmelte Gunther abgewandten Gesichtes.

»Schweig still!« sprach Siegfried müde, »wer Unheil angerichtet hat, der soll nicht nachher darüber klagen. Du kannst nur noch eines tun: Wenn du einen Funken Ehre im Leibe hast, so nimm Kriemhild unter deinen Schutz und denke daran, daß sie deine Schwester ist!«

Mehr vermochte er nicht zu sagen. Sein Kopf sank langsam zur Seite, als wollte er schlafen. Siegfried war tot.

Allmählich kamen die Dienstleute heran, die aus der Ferne alles mit angesehen hatten und es nicht begriffen: Mit scheuen Gesichtern und entsetzten Augen standen sie im Kreise. Die Buben, für die Siegfried immer der herrlichste Held gewesen war, mochten nicht glauben, daß er nun tot sei, und sahen einfältig drein vor lauter Kummer.

Hagen hatte sich wieder aufgerafft. Noch dröhnte zwar

sein Kopf, und die Knie wollten ihm nicht gehorchen. Er stand da in seinem blutbefleckten Gewande und sah zu, wie sie den Toten auf seinen Schild legten.

Irgend jemand sagte: »Es darf nicht ruchbar werden, daß Hagen ihn getötet hat! Wir wollen angeben, Räuber hätten ihn erschlagen, als er allein im Walde ritt.«

»Das scheint mir ein unkluger Rat!« fuhr Hagen auf. »Wie wollt ihr denn alle, die es wissen, zum Schweigen bringen? Was ich getan habe, ist aus Treue gegen meine Herren und gegen die Königin geschehen! Ich werde es nicht leugnen. Wenn ihr aber Angst vor Weibertränen und übler Nachrede habt, so überlaßt auch das letzte, was noch zu tun bleibt, mir!«

Er wandte sich ab, rief die Knechte und befahl ihnen, aus Zweigen eine Bahre zu flechten.

Dann ging er langsam hinüber zu dem Felsen, hinter dem Siegfrieds Schwert lag. Er hob es auf und zog es aus der Scheide. »Das Schwert des Toten gehört dem, der ihn getötet hat: Das ist eine uralte Sitte«, sprach er für sich, während er die Schneide prüfte. Nein, es gab kein zweites Schwert wie dieses! Balmung blinkte kalt in der hereinbrechenden Dämmerung, und Hagen schien, die Klinge liege feindselig in seiner Hand. Da stieß er sie zornig in die Scheide zurück.

Sie warteten, bis es finster war, dann brach der stille Zug auf. Sie gingen ohne Fackeln und führten die Pferde am Zügel, die Hunde schlichen mit eingezogenem Schwanz hinter ihren Herren drein.

Es war spät in der Nacht, als sie in der Burg ankamen. Hagen befahl den Knechten, Siegfrieds Leiche vor Kriemhilds Tür zu legen. Dann ging er schwerfälligen Schrittes nach seiner Kammer.

In der Burg wurde es totenstill. Die langen Gänge lagen leer und dunkel, denn es waren noch einige Stunden bis zum Morgen.

5

Allmählich sickerte das graue Dämmerlicht durch die
Fenster mit den schmiedeeisernen Gittern. Irgendwo ging
eine Tür. Ein Kämmerer mit dem Licht in der Hand trat
auf den Gang und begab sich nach Kriemhilds Kemenate.
Denn die Königin von Niederlanden pflegte jeden Morgen
früh zur Messe in das Münster zu gehen.
Der Kämmerer blinzelte verschlafen. Da lag etwas vor
der Tür was konnte es denn sein? Er trat heran und
leuchtete.
Mit einem heiseren Schrei fuhr er zurück, die Augen weit
aufgerissen vor Schreck.
Er starrte auf die regungslose Gestalt nieder: Das Gewand
war rot und naß von Blut, es war das Gewand eines
Ritters, und der Ritter war tot! Wie kam der Tote vor die
Tür der Königin? Und wer war es denn? Er konnte das
Gesicht nicht sehen, denn es lag von ihm abgewandt.
In diesem Augenblick hörte er aus der Kammer Kriemhilds Stimme, die mit ihren Mägden sprach: »Habt ihr
nichts gehört? Mir war, als hätte jemand geschrien!« Der
Kämmerer schrak zusammen. Er mußte sofort hinein-
gehen und die Königin bitten, daß sie in ihrer Kemenate
bleibe, bis man den Toten weggetragen hatte! Sie würde
sich sonst zu sehr entsetzen. Vorsichtig schritt er an dem
ausgestreckten Körper vorbei. Irgend etwas daran schien
ihm schrecklich bekannt, aber es kam ihm immer noch
keine Ahnung, daß der Tote sein eigener Herr sein könnte.
Kriemhild war schon zum Kirchgang angekleidet, als er
eintrat. Er bemühte sich, das flackernde Licht ruhig zu
halten, aber seine Hand zitterte zu sehr. Schnell zog er die
Tür hinter sich zu.
»Ich bitte dich, gehe nicht hinaus, Königin«, sagte er
atemlos, »es ist es liegt ein Ritter draußen, er muß erschlagen worden sein . . .« Er stockte. O Gott, wie sah die
Königin plötzlich aus? Sie war so weiß geworden, als

wäre sie selbst gestorben, und ihre Augen lagen dunkel, wie ausgelöscht, in den Höhlen.

»Ich bitte dich«, sagte er noch einmal erschrocken, sonst brachte er nichts mehr heraus.

Sie starrte ihn an, daß es ihm kalt über den Rücken lief. Dann hob sie beide Hände und drückte sie an die Schläfen. »Siegfried«, sagte sie mit einer ganz fremden, schrecklichen Stimme. Ihre Mägde schauderten, es schien ihnen, die Königin sei nicht ganz bei Sinnen. Aber in Kriemhilds Kopf jagten die Gedanken durcheinander: Brunhilds Zorn Hagens Frage nach der verwundbaren Stelle ihre eigene furchtbare Angst gestern, als Siegfried zur Jagd ritt... oh, sie hatte es geahnt, und nun... »Siegfried«, schrie sie noch einmal verzweifelt auf und streckte die Hände aus. Sie taumelte auf die Tür zu wie eine Blinde. Aber sie kam nicht hin: Plötzlich sank sie lautlos zu Boden. Ihre Mägde stürzten herzu, entsetzt und jammernd, und hoben sie auf. Da schlug sie schon wieder die Augen auf, blickte verwirrt der Magd ins Gesicht, die weinend vor ihr kniete. Was war denn nur geschehen? Was denn nur? Etwas Schreckliches, aber sie wußte es nicht mehr ... das Denken war so schwer geworden. Die Magd beobachtete sie voll Angst.

»Vielleicht ist es gar nicht Herr Siegfried, Frau Königin«, versuchte sie zu trösten. »Vielleicht ein fremder Gast ...«

Kriemhild fuhr auf, als hätte der Blitz in ihr eingeschlagen. Sie wußte mit einem Male wieder alles. Sie preßte die Hände an den Kopf, in dem es unerträglich hämmerte. Und plötzlich begann sie ganz schnell, wie im Fieber, zu sprechen.

»Nein, es ist Siegfried, sie haben ihn ermordet. Ich weiß es! Ich habe schon lange gewußt, daß es einmal geschehen wird! Hagen hat es getan, und Brunhild hat ihn dazu angestiftet. Diese Mörder, oh, diese feigen Mörder ... ich muß zu ihm gehen ...« Niemand wagte sie zurückzuhalten, als sie die Tür öffnete.

Einen Augenblick stand sie vor dem Toten. Dann kniete

sie nieder und nahm seinen Kopf in die Arme. Sie weinte nicht, sie konnte nicht weinen, aber ihr war, als reiße ihr eine grausame Hand langsam das Herz aus der Brust. Sie strich ihm das blonde Haar aus der Stirn, immer wieder strichen ihre Hände darüber hin, ganz sachte, unendlich zärtlich. »Sterben«, dachte sie, »ich will auch sterben, Siegfried!«

In der Kemenate knieten die Mägde und schluchzten, dem Kämmerer rannen die Tränen über die Wangen, er war ein alter, treuer Diener.

Nach einer langen Zeit hob Kriemhild den Kopf und blickte ihn an, mit diesen armen, erloschenen Augen, die ihn so erschreckten.

»Man soll es König Siegmund sagen und auch Siegfrieds Mannen wecken«, befahl sie müde.

Der Kämmerer ging, so schnell ihn seine zitternden Beine tragen mochten, um dem alten König die traurige Botschaft zu bringen.

Siegmund konnte und wollte nicht glauben, daß sein Sohn, der in allen Kämpfen unbesiegt geblieben war, nun tot sein sollte, ermordet von denen, die er für seine besten Freunde gehalten hatte. Der Schmerz überwältigte ihn so, daß er eine Weile wie gelähmt war. Aber dann erwachte allmählich daneben ein furchtbarer Zorn und das Verlangen, die Untat zu rächen. Er ließ seine Mannen wecken und sandte einen Boten in die Herberge der Nibelungenritter, die mit ihnen gekommen waren.

Die Nibelungen sprangen von ihren Betten auf und starrten einander in die entsetzten Gesichter, jeder meinte, ein böser Traum hätte ihn genarrt. Dann begriffen sie, daß es Wahrheit war.

»Rache! Rache für unseren König!« Die Herberge widerhallte von dem Ruf. Im Nu waren die treuen Nibelungen in Waffen und eilten zu ihrer Königin. Trauer und Zorn im Herzen, umstanden sie ihren toten Herrn.

König Siegmund kam den Gang herab mit müdem Schritt. Ehrerbietig wichen die Nibelungen zur Seite. Der König blickte lange in das stille, bleiche Gesicht seines Sohnes. Dann kniete er mühsam nieder und nahm den Toten in die Arme.

Als er sich erhob, wankte er und ging langsam und gebeugt zu Kriemhild in die Kemenate.

Es tat ihm weh, als er ihr verzweifeltes Gesicht sah.

»Wären wir doch nie nach Worms gekommen!« murmelte er und streichelte mitleidig ihre eiskalten Wangen. »Mein armes Kind, nun haben wir beide unser Liebstes verloren.«

Kriemhild sagte nichts. Sie lehnte nur einen Augenblick den Kopf an seine Schulter. Dann richtete sie sich auf. Sie sah, daß draußen der Gang voll war von Bewaffneten. Was wollten sie wohl tun? Sie kannte die Nibelungen und ihre Treue: Sie würden nicht ruhen, bevor sie ihren Herrn gerächt hatten. Aber es würde ein nutzloses Blutvergießen geben, denn die Burgunden konnten eine vielfache Übermacht aufbieten.

Sie ging zur Tür. Sofort verstummte das Gemurmel unter den Recken. Der alte König trat neben Kriemhild. Erwartungsvoll sahen ihn die Männer an. Er mußte tief Atem holen, ehe er sprechen konnte.

»Ihr Ritter von Nibelungen und Niederlanden, es bleibt uns nur, meinen Sohn und euren König zu rächen. Das werden wir tun! Wo wir die Mörder zu suchen haben, wissen wir. Man soll mir meine Waffen bringen!«

Wilde Zustimmung schlug ihm aus den Reihen der Ritter entgegen.

Aber Kriemhild umklammerte seinen Arm. »Was willst du tun, um Gottes willen? Vergiß nicht, daß die Burgunden dreißig gegen einen von euch stellen können! Ihr würdet alle sterben, und den Mördern würde kein Leid geschehen. Siegfried wird gerächt, und es wird eine furchtbare Rache sein, das schwöre ich euch! Aber noch ist es nicht Zeit! Wir müssen warten. Aber einmal wird der Tag kommen, ich weiß es . . .«

Die Ritter starrten sie an, sie war totenbleich, und ihre

Augen brannten. Was war aus ihrer sanften, fröhlichen Königin geworden?

Plötzlich senkte sie den Kopf. »Nun sollt ihr mir helfen, euren König zu begraben«, sagte sie leise, und ihre Stimme war entsetzlich arm und trostlos.

Vier Nibelungenritter hoben den Toten auf und trugen ihn in die Kemenate.

Es war schon längst heller Tag geworden. Man schickte nach den Priestern; Denn Siegfrieds Leiche sollte in das Münster gebracht werden. Steinmetzen und Schmiede mußten sogleich aus edlem Marmor einen Sarg verfertigen und ihn mit starken Eisenspangen umgeben.

In der Burg hatte sich überall die furchtbare Nachricht verbreitet.

Die alte Königin Ute kam, zu Tode erschrocken und weinend, um ihrer Tochter beizustehen. Gernot und Giselher eilten herbei, entsetzt, daß der Mord nun doch geschehen war. Gernot wagte kaum, Kriemhild und den Toten anzusehen: Denn ihn quälten schreckliche Gewissensbisse, weil er dazu geschwiegen hatte. Giselher umarmte die Schwester, selbst so verstört, daß er kaum zu reden vermochte.

»Wir wollen alles für dich tun, was wir können«, versprach er. Sie schlang ihm die Arme um den Hals, und nun weinte sie endlich, wild und verzweifelt, als könnte sie nimmer aufhören.

Die Mönche kamen, sie legten den Toten auf eine Bahre, und dann setzte sich ein langer Zug nach dem Münster in Bewegung. Die Priester beteten und sangen, von allen Türmen läuteten die Glocken, das Volk von Worms drängte sich am Wege. Dann stand die Bahre in der Mitte des Domes, und die Nibelungen hielten die Totenwache bei ihrem Herrn. Die Leute aus der Stadt und die Bauern von den Gehöften ringsum kamen und schauten ernst und schweigend in das stille Gesicht, das sie im Leben so gut gekannt hatten. Die burgundischen Ritter eilten auf die Kunde von ihren Burgen herbei. Einer nach dem anderen traten sie heran mit kummervollen Gesichtern: Denn was da geschehen war, schien ihnen furchtbar und schimpflich.

Viele Frauen weinten.

Kriemhild kniete an der Bahre, den Kopf gebeugt. Sie sah nichts von allem, und niemand konnte sie bewegen, fortzugehen, so sehr ihre Mutter und Giselher auch baten.

Aber plötzlich fuhr sie auf, als hätte sie jemand angerührt. Ihre rotgeweinten Augen glitten das Kirchenschiff hinab. Im nächsten Augenblick sprang sie auf: Gunther und Hagen waren eingetreten. Langsam kamen sie den Mittelgang herauf. Kriemhild tat ein paar schnelle Schritte, bis sie am Fußende der Bahre stand, als wollte sie den beiden den Zutritt zu dem Toten verwehren. Sie blieben vor ihr stehen. Gunther hob den Blick nicht vom Boden, er sah aus, als wäre er krank. Hagen blickte Kriemhild hart und furchtlos in die Augen. Eine gräßliche Stille lag zwischen ihnen. Kriemhilds Hände griffen nach der Bahre, als suchten sie einen Halt.

»Ihr wagt es, hierherzukommen?« flüsterte sie voll Grauen. Gunther zuckte zusammen wie unter einem Peitschenhieb, Hagen rührte sich nicht einmal.

»Du sollst nicht glauben, daß wir Siegfrieds Tod gewollt haben«, begann Gunther leise und stockend. »Es ist mir selbst so furchtbar leid um ihn . . .«

»Hätte es dir leid getan, so wäre es nicht geschehen!« unterbrach ihn Kriemhild schneidend. Sie trat einen Schritt zur Seite, ohne Hagen aus den Augen zu lassen.

»Und wenn Hagen zu behaupten wagt, er sei unschuldig«, fuhr sie langsam fort, »so mag er näher kommen! Ihr wißt, die Toten klagen ihre Mörder an. Ich rufe Gottes Urteil!«

Es war ein uralter Glaube im Volke, daß die Wunden des Ermordeten wieder zu bluten beginnen, wenn der Mörder an seine Bahre tritt.

Die guten Wormser Bürger wichen scheu zurück, als Hagen neben den Toten trat. Sein dunkles Gesicht war unbewegt, hochmütig erhobenen Kopfes blickte er über die Menge hinweg, die kaum zu atmen wagte.

Plötzlich schrie jemand auf, eine Frauenstimme, die ganz schrill war vor Entsetzen: »Da! Er blutet!« Im nächsten Augenblick schrien es alle, und die Dommauern warfen den Schrei zurück. Weit aufgerissene Augen starrten nach der Bahre, wo auf dem schneeweißen Linnen langsam um Schultern und Kopf des Toten ein roter Fleck entstand und immer größer wurde, während sie schaudernd hinsahen. »Gottesurteil«, murmelte da und dort einer und warf einen furchtsamen Blick auf Hagen. Der stand da wie eine Statue. Nur sein Gesicht hatte eine sonderbare lehmige Farbe bekommen, und die schreckliche Narbe brannte plötzlich feuerrot. Ohne Eile wandte er sich ab und ging mit Gunther dem Ausgang zu.

Die Nibelungen umklammerten zähneknirschend ihre Schwerter. Hätte es ihnen die Heiligkeit des Gotteshauses nicht verboten, so hätten sie Hagen gewiß sofort erschlagen. So mußten sie ihn gehen lassen. Kriemhild sah ringsum in ihre zornigen Gesichter und schüttelte leise den Kopf: Sie wußten, daß die Vergeltung nur aufgeschoben war.

Gegen die Mittagsstunde brachten die Schmiede den Sarg. Sie legten Siegfried hinein, und die Priester segneten ihn noch einmal. Dann schloß man den Marmordeckel und die schweren Eisenbänder. Siegmund und Kriemhild standen zu Häupten des Sarges.

Drei Tage und drei Nächte lang blieb Kriemhild bei dem Toten. »Laßt mich nicht allein«, hatte sie die Nibelungen gebeten. Und die treuen Ritter wachten mit ihr drei Tage und drei Nächte, ohne zu essen und zu trinken. Sie vermochte sich kaum mehr aufrecht zu halten, aber wenn man sie wegführen wollte, weigerte sie sich. »Vielleicht befiehlt Gott, daß der Tod auch mich nimmt.«

Aber sie starb nicht, obgleich es wie ein Wunder schien, daß sie am Leben blieb. Sie ließ den Klöstern reiche Gaben spenden, damit die Mönche für Siegfrieds Seelenruhe beten sollten, und beschenkte die Armen freigebig, die in diesen Tagen scharenweise in den Dom kamen.

Am vierten Morgen trug man Siegfried auf dem Kirchhof des Münsters zu Grabe. Als sie den Sarg hinabsenkten, verließ Kriemhild ihre letzte Kraft. Ohne einen Laut sank sie zusammen. Man trug sie fort in ihre Kemenate, ihre Mägde wuschen sie mit kaltem Wasser und allerlei starkem Kräuterabsud, aber sie erwachte nicht. In tiefer Ohnmacht lag sie da bis an den anderen Tag. Als sie die Augen zum ersten Male wieder öffnete, sah es aus, als erwache eine Tote.

König Siegmund kam. Er war so gut zu ihr wie ein Vater. »Wir wollen heimfahren«, sprach er, »sobald du reisen kannst. Hier ist uns zu viel Leid geschehen. Du sollst in Niederlanden Königin sein, und ich will dir alle Gewalt übergeben, die Siegfried besessen hat.«

Kriemhild sagte zu allem ja. Ihr galt es gleich, was nun noch geschah, nachdem Siegfried tot war.

Also befal Siegmund seinen Mannen und den Nibelungen, sich zur Heimfahrt zu rüsten.

Aber die alte Königin Ute wollte nichts davon hören, daß Kriemhild nach Niederlanden fahren sollte.

»Dort bist du unter lauter Fremden, mein Kind«, redete sie ihrer Tochter zu. »Bleib bei uns, es wird gewiß leichter für dich sein!«

Auch Giselher bat sie, doch nicht fortzugehen. »Ich mag dich nicht allein im fremden Land wissen«, sagte er. »Wir beide wollen nun wieder beisammenbleiben wie früher. Ich werde immer für dich da sein, wenn du mich brauchst. Ich bitte dich, geh nicht fort!«

Sie umarmte ihn traurig. »Du meinst es gut, Giselher. Aber wie soll ich es ertragen, hierzubleiben und immer wieder Hagen zu begegnen?«

»Du brauchst ihn nicht zu sehen, ich werde dafür sorgen«, versprach er eifrig. »Und unsere Mutter wird ihm nicht erlauben, dir jemals in den Weg zu treten.«

Auch Gernot kam und versuchte sie zu bitten. Er hatte

seit Siegfrieds Tod keine ruhige Stunde mehr gehabt und sah so gramvoll aus, daß Kriemhild Mitleid mit ihm fühlte, denn sie wußte, daß er mit dem Morde nichts zu tun hatte und daß er ihn wohl auch nicht verhindern hätte können.

Schließlich willigte sie ein, zu bleiben: Denn sie mochte auch Siegfrieds Grab nicht verlassen.

Der alte König Siegmund hatte inzwischen alles zur Abreise vorbereitet, nun hörte er mit Trauer und Enttäuschung, daß Kriemhild ihn nicht begleiten wollte. Er hatte seine Schwiegertochter liebgewonnen, und nun würde er zu Xanten sehr einsam sein.

»Willst du dein Söhnlein allein und als Waise aufwachsen lassen?« versuchte er sie umzustimmen.

Das trieb ihr freilich die Tränen in die Augen. Aber dennoch schüttelte sie den Kopf. »Ihr werdet gut für mein Kind sorgen«, sagte sie müde. »Und die Nibelungen werden den Sohn ihres Königs schützen, bis er selbst groß und stark geworden ist.«

Da redete ihr Siegmund nicht länger zu, schloß sie noch einmal in die Arme und ging hinaus in den Hof, wo die Nibelungen bei den gesattelten Pferden warteten. »Wir reiten«, sagte er wortkarg.

Die Nibelungen sahen ihn verwundert an. »Und die Königin?« – »Die Königin bleibt. Sie hat den jungen König eurem Schutz empfohlen!« Er ließ das Pferd gehen. Sie folgten ihm schweigend.

So ritten sie fort vom Burgundenhofe, ohne von jemandem Abschied zu nehmen. Gernot und Giselher sahen ihnen vom Fenster aus kummervoll nach, Gunther war nirgends zu sehen.

»Weiß Gott, der alte Mann tut mir leid«, murmelte Gernot bedrückt.

Giselher aber lief eilig aus dem Saal, rief einen Knecht, sein Pferd zu satteln, und jagte gleich darauf zum Burgtor hinaus. Er hatte die Reiterschar bald eingeholt und lenkte sein Roß neben König Siegmund. »Erlaube, daß ich dich begleite!« sagte er ehrerbietig und mit der ritterlichen Liebenswürdigkeit, die diesen jüngsten Burgundenkönig so sehr auszeichnete.

Die traurigen alten Augen sahen ihn lange an. Dann reichte ihm Siegmund die Hand vom Pferde herüber. »Ich danke dir, Herr Giselher!«

Sie ritten miteinander den ganzen langen Weg bis zur Grenze von Niederlanden: der alte und der junge König. Und es kam ein wenig Trost in Siegmunds Herz bei dem ehrlichen Mitgefühl, mit dem Giselher ihn getreulich umsorgte.

6

Es wurde sehr still am Hofe zu Worms. Kriemhild ging kaum aus ihren Gemächern fort, nur am Grabe Siegfrieds sah man sie beten und früh ins Münster zur Messe gehen. Sie war noch immer wunderschön, aber ihr Gesicht schien wie versteinert vom Leid, und alle Lieblichkeit und Fröhlichkeit war daraus verschwunden. Mit Gunther sprach sie nie ein Wort, Hagen ging ihr weit aus dem Wege. Nur Gernot und Giselher und der getreue Markgraf Eckewart, der mit ihr von Niederlanden zurückgekommen war, taten, was sie konnten, um sie ein wenig zu trösten.

So vergingen drei Jahre.

In Hagens Kopf aber war in dieser Zeit ein Gedanke aufgetaucht, der ihm keine Ruhe mehr ließ und allmählich zu einem festen Plan wurde.

Was er plante, war sehr schlau und sehr böse. Es wurmte ihn schon lange, daß der unermeßliche Nibelungenhort, der nun Kriemhild gehörte, so nutzlos ewig im hohlen Berge liegen sollte. Es wäre viel besser, meinte er, wenn man ihn nach Worms brächte. Ja, warum nicht? Und dann vielleicht konnte es dann gelingen, ihn eines Tages den Burgunden in die Hände zu spielen: Denn dies hatte der Tronjer beschlossen, dessen Sinnen und Trachten nur darauf gerichtet war, Ehre, Macht und Reichtum der Burgundenkönige zu hüten und zu mehren.

Viele Tage und Nächte dachte er über seinen Plan nach, bis ihm endlich schien, nun könne er nicht mehr fehlschlagen.

»König Gunther«, sprach er also eines Tages, »dünkt es dich nicht auch jammerschade, daß der Nibelungehort da drunten im Berge liegt und niemand Nutzen davon hat? Und was sollte auch Kriemhild damit? Sie hat doch keine Freude mehr an all dem glitzernden Zeug, um das so mancher seinen lieben Nächsten totschlagen würde! Wie wäre es denn, wenn wir versuchten, den Schatz ein wenig mehr in unsere Nähe zu bekommen? Wer weiß, wenn er einmal hier ist, teilt ihn eure Schwester vielleicht mit euch!«

»Du machst schlechte Scherze, Oheim!« fuhr Gunther zornig auf. »Seit Siegfrieds Tod hat sie kein Wort mehr mit mir gesprochen, und nun sollte sie ihren Reichtum mit mir teilen? Fällt dir nichts Besseres ein? Mir scheint, du wirst alt und kindisch, Freund Hagen!«

»Nur sachte! Du mußt dich freilich erst mit ihr versöhnen!«

Gunther lachte laut auf. »Ich mit ihr? Frage sie lieber, ob sie sich mit mir versöhnen will! Es ist nahezu vier Jahre her, seit sie dich und mich haßt wie den Teufel!«

»Nun wie du meinst!« Hagen zuckte die Achseln und wandte sich zur Tür. »Ich hätte nur gedacht, es lohnte sich, für einen solchen Reichtum den Versuch zu machen. Aber wenn du nicht willst . . .«

»Warte!« sprach Gunther schnell, als Hagen gehen wollte. »Wir müssen es überlegen. Vielleicht könnten Gernot und Giselher etwas bei ihr erreichen. Ich will sie bitten, zu ihr zu gehen.«

Hagen lächelte verstohlen. Er hatte gewußt, daß er Gunther den goldenen Köder nicht umsonst hinhalten würde!

112

Gernot und Giselher waren sogleich bereit, für ihren Bruder bei Kriemhild zu sprechen. Sie hatten es auch früher schon manchmal getan. Aber Kriemhild konnte Siegfried nicht vergessen und seinen Mördern nicht verzeihen. Nun schworen die beiden Brüder, diesmal nicht nachzugeben, ehe sie ihnen versprach, sich wenigstens mit Gunther auszusöhnen. Freilich ahnten sie nicht, daß sie nur Hagens Plan unterstützen sollten. Der Mund des Tronjers verzog sich zu einem grimmigen Lachen, während er ihnen zuhörte.

»Für mich braucht ihr euch nicht die Zunge wund zu reden«, sagte er spöttisch. »Da ist alles umsonst! Mich würde sie mit ihren eigenen Händen töten, wenn sie könnte.«

»Schweig!« sagte Gunther wütend. »Du wirst zugeben müssen, daß Kriemhild keinen Grund hat, dich zu lieben! Euch beide aber bitte ich, zu tun, was in eurer Macht steht!«

Sie gingen fort, und er begann unruhig im Saale hin und her zu wandern. Ob es ihnen gelingen würde, Kriemhild zu überreden? Er würde froh sein: Denn heimlich plagte ihn die Angst, daß eines Tages ihn und Hagen die Rache treffen würde. Und dann war da der Nibelungenhort. Die Begierde nach dem Schatz hatte ihn jäh und mit Gewalt ergriffen.

Es gab nicht mehr viele Dinge, die den Burgundenkönig freuten: Brunhild begegnete ihm kalt und fast feindselig, und sein böses Gewissen ließ ihm keine Ruhe. Und wie allezeit Menschen geglaubt haben, Gold vermöchte sie glücklich zu machen, so meinte auch Gunther, vielleicht fiele von dem goldenen Glanz des Nibelungehortes wieder ein wenig Helligkeit in die Düsternis seines Lebens.—

Kriemhild hörte ihre Brüder an, ohne etwas zu sagen.

»Du solltest Gunther wenigstens einmal erlauben, dir zu erzählen, wie alles gekommen ist«, drängte Gernot. »Vielleicht würdest du ihn dann nicht mehr für so schuldig halten!«

»Denke auch an unsere Mutter«, bat Giselher. »Sie ist alt, und eure Feindschaft ist ein immerwährender Schmerz für sie. Und Gunther hat keine frohe Stunde mehr seit dieser unseligen Tat, das magst du mir glauben.«

Kriemhild sah sie grübelnd an. »Es hätte keinen Sinn«, sagte sie endlich und schüttelte trübe den Kopf. »Ich würde ihm mit dem Munde verzeihen, aber im Herzen kann ich es niemals.«

Giselher ergriff hoffnungsvoll ihre Hände. «Laß ihn kommen, ich bitte dich, tu es mir zuliebe! Glaube mir, es wird nachher alles viel besser sein.«

Da gab sie endlich nach. »Gut, ich will ihn sehen. Aber nur ihn allein. Hagen darf mir nicht unter die Augen treten! Mehr sollt ihr nicht von mir verlangen, denn ich kann nicht mehr tun.«

»Ich danke dir!« sagte Giselher froh und ging, Gunther die gute Botschaft zu bringen und ihn zu Kriemhild zu geleiten. Hagen lehnte einsam im Erker und starrte den Brüdern nach, als sie den Saal verließen. Dann wartete er.

So kam diese Versöhnung zustande, die von beiden Seiten falsch war. Denn dem König lag dabei der Schatz im Sinn, und Kriemhild wußte, daß sie ihm nicht verziehen hatte und nie verzeihen konnte. Nach außen schien es freilich, als herrsche nun endlich wieder Friede unter den Geschwistern von Burgunden.

Hagen hörte es mit grimmiger Freude: Sein Plan begann Wirklichkeit zu werden! Nun mußte Gunther sie klug zu überreden versuchen, damit sie den Hort nach Worms bringen ließ! Aber zu seiner Verwunderung war das gar nicht schwer. Denn Kriemhild hatte selbst schon daran gedacht, daß sie mit dem Schatz viel Gutes stiften könnte für Siegfrieds Seelenheil. Sie hatte beschlossen, gemeinsam mit Frau Ute ein Kloster bauen zu lassen, in dem die alte Königin bis zu ihrem Tode bleiben wollte. Den Armen sollte geholfen werden. Witwen und Waisen brauchten Unterstützung. Ja, sie würde viele Wohltaten spenden . . . Aber manchmal, wenn sie darüber nachdachte, stieg es plötzlich dunkel in ihr auf: Wer weiß, vielleicht würde das Gold auch einmal dazu dienen, Siegfrieds Tod zu rächen . . . Es fror sie vor Angst bei diesem Gedanken. Aber sie verjagte ihn dennoch nicht.

So willigte sie ein, als die Brüder ihr vorschlugen, den Schatz aus dem hohlen Berge herzuführen an den Rhein. Gernot und Giselher wollten selbst mit zwölfhundert treuen Recken nach Nibelungenland reiten, damit der Hort sicheres Geleit habe.

König Alberich war nicht wenig erstaunt, als er in seinem unterirdischen Saal von draußen das Getöse vieler Bewaffneter hörte. Zugleich stürzten auch schon seine winzigen Kundschafter herbei und meldeten aufgeregt, daß viele Recken gekommen seien, den Nibelungehort zu holen. Die Königin Kriemhild habe es so befohlen und ihre beiden Brüder gesandt. Alberich runzelte zwar die Stirn und dachte eine Weile nach. Aber dann sagte er: »Wir können es nicht verweigern. Der Hort gehört der Königin. Siegfried hat ihn ihr als Morgengabe geschenkt. Unseren größten Schatz haben wir freilich eingebüßt: Denn die Tarnkappe, die Siegfried mir einst abnahm, hat mit seinem Tode ihre Kraft verloren und ist nichts mehr als ein wertloses Gespinst. Bringt mir Mantel und Krone, ich will hinaufgehen, um die Burgundenkönige zu begrüßen.«

Die Diener legten ihm einen Mantel aus rotem Tuch mit kostbarem Pelzwerk an und setzten ihm die Krone auf, die herrlicher mit den edelsten Steinen geschmückt war als jemals eine Kaiserkrone auf Erden.

»Gib mir die Schlüssel zu den Schatzkammern«, befahl er seinem Kämmerer und begab sich nach oben.

Die Burgunden sahen den kleinen König neugierig an, als er aus dem Berge ans Tageslicht trat. Aber er erschien ihnen so ehrwürdig mit seinem schneeweißen Haar und Bart, und Siegfried hatte so oft seine Tapferkeit und Treue gerühmt, daß sie ihn mit großer Achtung begrüßten.

»Wollt ihr nun mit mir in den Berg kommen, damit ich euch den Schatz zeigen kann?« lud Alberich sie ein, nachdem sie viele höfliche Reden getauscht hatten.

Sie folgten ihm durch das Felsentor, aus dem er gekommen war. Ein wenig mußten sich die großen Recken bücken, denn der Gang, in den sie nun kamen, war niedrig. Er führte bald abwärts, es wurde dunkler, und als sie um eine Ecke bogen, erlosch das Tageslicht vollends. Aber da schlüpften aus einem Seitengang ein Dutzend kniehohe Männlein in dunklen Mänteln und spitzen Mützen. Sie trugen Laternen, in denen Öllichtlein brannten. Schweigend gingen sie voran und leuchteten. Der Lichtschein huschte gespenstig über die Felswände, in denen es da und dort glitzerte von Bergkristall und bunten Steinen. Goldadern wanden sich durch das Gestein wie glänzende Nattern. Über den feuchten Boden huschten hie und da seltsame Tiere, bleichfarbige Molche flüchteten vor dem Licht, das ihren Augen weh tat, in dunkle Spalten. Auf allen Seiten pochte und klang es von flinken Hämmern.

Plötzlich war der Gang zu Ende. Sie standen vor einem schweren eisernen Tor: Daran befand sich ein merkwürdig geformtes Schloß. Alberich zog einen goldenen Schlüssel aus dem Gürtel und schloß auf. Eiskalte Luft wehte die Recken an. Ein neuer Gang lag vor ihnen, und die Männlein mit den Laternen verschwanden alsbald darin. Da taten sich rechts und links Felsenkammern auf, eine neben der andern.

Vor der ersten blieben die Zwerge stehen und hoben ihre Leuchten.

Alberich wandte sich zu den Burgunden um. »Hier verwahren wir den Nibelungenhort«, sprach er feierlich. Den Männern gingen die Augen über beim Anblick der ungeheuren Schätze, die da in den schwarzen Höhlen lagen. Auf Teppichen und Fellen glitzerte und funkelte es in hundert Farben von edlen Steinen aller Art. Kunstvoller Goldschmuck, Ringe, Armreife, Stirnbänder, Ketten und andere Kleinodien waren da, so schön und kostbar, wie sie nur die kunstreichsten Meister ersinnen konnten.

Sie schritten von Kammer zu Kammer. Überall glitzerndes Geschmeide, herrliche Waffen, Schwerter, deren Griffe von Edelsteinen funkelten, goldene Helmzier in allerlei Tiergestalten mit Augen aus Rubin und Smaragd, Rüstungen aus Gold und Silber und kostbares Tischgerät.

»Dies alles gehört eurer Schwester, unserer Königin Kriemhild«, sagte Alberich wehmütig, als sie wieder zum Eisentor zurückkamen. »Wir haben den Hort getreulich für Siegfried gehütet. Aber Siegfried ist tot und sein Sohn ein Kind. Nehmt den Schatz mit euch. Mag er kein Unheil stiften! Oft wäre es besser, das Gold läge viele Klafter tief unter der Erde als in den Händen der Menschen.«

Gernot fuhr sich über die Stirn und lachte. »Ich bin wahrhaftig müde geworden vom Schauen! Meiner Lebtage habe ich keinen solchen Reichtum gesehen. Ich habe immer gedacht, wir Burgunden wären reich genug. Aber nun sehe ich, daß wir arme Leute sind.«

»Ihr müßt euch beeilen«, mahnte jetzt Alberich, »eure Knechte werden lange zu tun haben, ehe alles hinaufgetragen und aufgeladen ist.«

Sie hatten auf Kriemhilds Rat zwölf hochwandige Wagen im Troß mitgeführt. Nun mußten die Knechte in Körben und auf Schilden schleppen, was sie konnten. Sie schwitzten und keuchten unter ihrer kostbaren Last und fluchten manchmal laut, wenn sie sich zuwenig gebückt hatten und mit den Köpfen an den Felsen stießen.

Es dunkelte schon, als der unermeßliche Hort endlich in den Wagen untergebracht war. Der Mond stieg rund und silbern hinter dem Wald herauf; droben auf dem Felsen glänzten die Fenster der Burg in einem blassen gespenstigen Schein.

Da nahmen die Burgunden Abschied von König Alberich. Der Zwerg schien bedrückt und nachdenklich. »Nun sind die Burgunden Nibelungenkönige: Denn wer den Hort hat, trägt auch den Namen«, sprach er. »So war es seit uralter Zeit. Aber der Nibelungenhort hat noch nie jemand Glück gebracht, und seine Herren sind nicht alt geworden. Ich wünsche euch dennoch Glück und ein langes Leben.«

Es war den Burgunden, als wehte es sie kalt an bei diesen Worten: Sie wußten nicht, woher. Noch ein Händedruck, dann trat Alberich zurück in die Schwärze des Felsentores. Gernot und Giselher sprangen auf ihre Pferde und setzten sich an die Spitze ihrer Reiterschar. So ging es fort durch die Nacht und durch den Wald. In der Mitte des Zuges fuhren ächzend und knarrend die zwölf Wagen mit ihrer kostbaren Last.

Es wurde eine lange und beschwerliche Fahrt. Der Mond verzog sich bald hinter die Wolken, der Herbststurm sauste in den Bäumen, und als sie aus dem Walde herauskamen, peitschte ihnen ein häßlicher, kalter Regen ins Gesicht. Die Morgendämmerung kam, Nebelfetzen hingen wie Spinnennetze in Bäumen und Sträuchern; es wurde Tag, aber die Sonne ließ sich nicht blicken. Sie ritten und ritten, und es regnete immerzu. Über ihre Rüstungen liefen kleine Wasserrinnsale. Manchmal rasteten sie in einem Maierhofe und ließen die müden Pferde grasen. In den Nächten schlief immer ein Teil der Recken, während die anderen Wache hielten.

Endlich langte der Zug trotz allem Ungemach wohlbehalten in Worms an, und der Schatz wurde in festen Kammern in Kriemhilds Haus verwahrt.

Nun gab es gute Zeit für die Armen. Keiner ging unbeschenkt von ihrer Tür. Aber auch tapfere Männer kamen, angelockt von ihrer Freigebigkeit, die bald weitum bekannt war. Sie boten der Königin ihre Dienste an, blieben in Burgunden in ihrer Nähe und erhielten reichen Sold. Es dauerte nicht lange, so hatte sie ein ansehnliches Häuflein unerschrockener Recken um sich gesammelt, die bereit waren, für sie zur Hölle zu reiten.

Hagen, der seine Späher überall hatte, wußte das alles genau und beobachtete es mit Besorgnis. »Wir müßten es

verhindern«, sprach er zu Gunther. »Sie hat schon einen
Haufen Kriegsleute, denen sie nur mit einem Finger zu
winken braucht, und sie ziehen selbst dem Teufel das
Fell über die Ohren.«

»Wie willst du es denn verhindern?« fragte Gunther mürrisch, »es ist ihr Gold, und sie kann damit tun, was sie will.
Es scheint mir freilich nicht, daß sie es mit uns zu teilen
gedenkt«, fügte er spöttisch hinzu.

»Jedenfalls sollte man einen solchen Schatz nicht in den
Händen einer rachsüchtigen Frau lassen, sonst kann er
nur Unheil stiften«, sagte Hagen nachdenklich.

Gunther musterte ihn aufmerksam. Er kannte seinen
Oheim gut genug, um zu merken, daß er etwas im
Schilde führte.

»Höre«, sagte er scharf, »ich habe meiner Schwester
einen Eid geschworen, daß ihr von mir kein Leid mehr
geschehen soll. Merke dir das!«

»Niemand verlangt, daß du ihr etwas tun sollst«, gab
Hagen mit einem schiefen Lächeln zurück. »Wenn aber
dennoch etwas geschieht, nehme ich alle Schuld auf
mich!«

Nun traf es sich gerade zu dieser Zeit, daß die Burgundenkönige außer Landes reiten mußten, da sie an einem
fremden Fürstenhofe zu Gast geladen waren. Die meisten
Recken begleiteten sie, nur Hagen blieb daheim.

Als die anderen fort waren, begann ein heimliches emsiges Treiben. Allerhand lichtscheue Gesellen schlichen sich
im Dunkeln in die Gemächer des Tronjers, und er sprach
lange hinter verschlossenen Türen mit ihnen.

Ein Stück rheinaufwärts lag eines Nachts ein Schiff angekettet, das vorher nie jemand an der Stelle gesehen
hatte, und wer sich in die Nähe wagte, den wiesen zwei
riesige wilde Ruderknechte mit groben Worten fort.

Unterdessen hatte Hagen durch einen ungetreuen Kämmerer gegen reichen Lohn die Schlüssel zu Kriemhilds
Schatzkammer bekommen, und so war alles wohl vorbereitet.

In einer mondlosen, stürmischen Nacht schlichen von allen Seiten dunkle Gestalten lautlos auf das Haus zu, das Kriemhild mit ihrem Hofstaat bewohnte. Es lag ein wenig entfernt von der Burg gegen das Münster zu.

Man hatte nicht vergessen, die Schlösser gut zu ölen, und so öffneten sich die Türen ohne Geräusch. Auf bloßen Füßen huschten die Männer in die Kammern, rafften mit flinken, geschickten Diebshänden alles in große Säcke, luden sie auf den Rücken und schlichen damit aus dem Hause und auf abgelegenen Pfaden nach dem Rheinufer, wo das Schiff lag. Niemand hörte sie, denn Kriemhilds Dienstleute schliefen weit entfernt von den Schatzkammern auf der anderen Seite des Hauses. Und in dieser Sturmnacht begegnete ihnen auch draußen keine Seele: Denn jeder war froh, wenn er in seinem Bett warm und geborgen lag, während der Wind um die Ecken heulte und der Regen an die Fenster prasselte.

Einer nach dem anderen kamen sie triefend und keuchend beim Schiffe an.

Hagen stand auf dem Deck, sein schwarzer Mantel flatterte um seine riesige Gestalt. Sie luden ihre Säcke vor ihm ab: Nicht einmal für sich etwas zu stehlen, hatten sie gewagt, außer höchstens ein Ringlein oder ein paar Steine. Denn Hagen hatte ihnen gesagt: »Ihr wißt, daß ihr euren verabredeten Lohn bekommt. Er ist reich genug. Wer mich aber bestiehlt oder auch nur den Mund öffnet über das, was in dieser Nacht geschieht, der ist ein toter Mann.«

Und sie wußten, daß er erbarmungslos Wort halten würde. Als der letzte mit seinem Sack gekommen war, befahl er ihnen, sofort umzukehren und ihm ja nicht nachzuspüren. Auch die beiden Ruderknechte schickte er fort. Am nächsten Abend sollten sie alle zu ihm kommen, ihren Lohn holen.

Als er allein auf dem Schiff war, griff er zu den Rudern und begann mit aller Macht das Fahrzeug den Strom hinaufzutreiben. Es kostete ihn eine furchtbare Anstrengung, obgleich er riesige Kräfte hatte. Der Sturm tobte um den einsamen Schiffer, ein paar schwarze Vögel warfen sich schreiend aus der Finsternis herab und umflogen seinen Kopf mit klatschenden Flügelschlägen. Das Strombett wurde enger, Felsen tauchten zu beiden Seiten auf. Nun mußte das Wasser sehr tief sein an der Stelle, wo er sich befand. Die Strömung war so reißend geworden, daß er kaum noch dagegen anzukämpfen vermochte. Aber Hagen kannte den Platz genau. Er fuhr vorsichtig ganz knapp an die steile Wand zur Rechten heran, aus der ein Felsen weit gegen die Strommitte vorsprang. Daran brach sich die Wucht des Stromes, und in dem Winkel dahinter war das Wasser ganz still und sehr tief. Dahin brachte er sein Schiff mit geschickten Ruderschlägen und fühlte sogleich, wie ihn die Strömung losließ. Zugleich schien es, als schliefe der nächtliche Sturm ein, und er sah, daß der Himmel schon ein wenig graue Helligkeit bekam. Es ging gegen Morgen.

Hagen warf den Mantel ab. Er zog den ersten Sack an sich heran, band ihn auf und ließ seinen glänzenden Inhalt langsam über den Rand des Schiffes in das stille, dunkle Wasser gleiten. Glitzernd versank das kostbare Geschmeide. Ein Stück hinab konnte er es genau sehen, dann verschlang es die Tiefe. Weiter, der nächste Sack! Weiter... so, nur hinunter mit dem Zeug, mögen sich die Nixen damit schmücken! Wie verlöschende Sterne fielen Gold und Edelsteine in den grünen Abgrund, der im zunehmenden Morgen immer klarer unter ihm lag.

Plötzlich bewegte es sich in der Tiefe, blaß und schattenhaft stieg es herauf... ein schmaler Arm erschien und eine kleine Hand legte sich um den Rand des Schiffes. Aus der Flut tauchte ein unaussprechlich süßes Gesichtlein empor, lächelte ihn an und sank wieder hinab. »He, du Wasserfrau«, schrie Hagen mit grimmigem Lachen und griff nach einem neuen Sack. Er sah die Nixe davonschwimmen, dicht unter der Oberfläche, ihr langes goldenes Haar floß ihr um Gesicht und Schultern wie kleine

121

schimmernde Wellen. Ihr Leib war von den Hüften ab wie der silberne Leib eines Fisches.

»Warte, ich will dich reicher machen als alle Königinnen der Erde!« Hagen hob den Sack und schüttete ihn über sie aus. Sie schwamm, das blasse Gesichtlein nach oben gewandt, ließ das Geschmeide achtlos durch ihre Hände gleiten, winkte ihm zu und sank wieder langsam in die Tiefe zurück, aus der sie aufgestiegen war.

Verbissen arbeitete Hagen weiter. Sack um Sack verschwand Kriemhilds Gold in den Fluten des Rheins.

Endlich wischte sich der Tronjer tief atmend den Schweiß von der Stirne. So, nun war es getan! Und wenn dieses Gold jemals wieder ans Tageslicht kam, dann würde es den Burgundenkönigen gehören.

Rasch fuhr er mit der Strömung den Fluß hinab.

Kriemhilds Kämmerer entdeckte früh am Morgen den ungeheuerlichen Raub, sah die ausgeräumten Kammern und stürzte totenbleich nach den Gemächern seiner Herrin.

Sie hörte wortlos seinen atemlos hervorgestoßenen Bericht. Ihr Gesicht blieb unbewegt.

»Auch das hat mir Hagen getan«, murmelte sie. Aber was nützte es, daß sie das wußte? Er würde den Hort niemals mehr herausgeben, niemand würde ihm das Geheimnis entreißen, wo er ihn hingebracht hatte, selbst wenn man ihn zu Tode folterte. Hagen war hart wie ein Fels, dem weder Feuer noch Schwert etwas anhaben konnten. Die Brüder um Hilfe anrufen? Wozu? Gunther hielt doch zu Hagen, und Gernot und Giselher würden nicht die Macht haben, etwas gegen die beiden zu tun.

So erhob sie ohne viel Hoffnung Klage gegen Hagen, als die Burgundenkönige wieder heimkehrten.

Er leugnete auch gar nicht, den Hort geraubt zu haben.

»Da, wo er jetzt ist, kann er weniger Schaden stiften als in deiner Hand«, sagte er ohne Scham Kriemhild ins Gesicht.

Gunther wand sich vor Unbehagen, aber er sagte nichts.

Da verließ sie schweigend den Saal. Giselher sah ihr nach, dann wandte er sich mit einem Ruck Hagen zu. »Oheim«, sagte er zornig, »wärst du nicht mein Verwandter, so ginge es dir jetzt ans Leben! Wo hast du den Hort?«

Hagen überlegte eine Weile. »Ich will euch heute nacht die Stelle zeigen«, sprach er vorsichtig. »Aber ihr sollt mir schwören, sie nie zu verraten, solange einer von uns am Leben ist.«

Er redete ihnen noch lange zu, und Gernot meinte schließlich: »Vielleicht hast du wirklich recht, und es ist besser, der Schatz liegt auf dem Grunde des Stromes. Alberich hat uns gewarnt, in Menschenhänden würde er nur Unheil stiften.«

Zuletzt dachte sogar Giselher, der Hort wäre da drunten sicher aufgehoben und gehöre nach wie vor Kriemhild. Und eines Tages, nach Hagens Tod vielleicht, würde doch wieder Friede sein unter den Geschwistern, und man konnte dann das Gold aus der Tiefe holen und ihr zurückgeben.

In dieser Nacht fuhren die drei Könige mit Hagen den Fluß hinauf, bis an den Felsen, wo der Hort versenkt lag. Da schworen sie, daß keiner ohne Einwilligung der anderen den Platz je verraten würde, oder erst dann, wenn alle anderen tot waren.

Kurz darauf kam die alte Königin Ute aus dem Kloster zu Lorch, wo sie in einem eigenen Haus wohnte, noch einmal zurück nach Worms. Sie wollte ihre Tochter zu sich holen, weil sie meinte, die Welt hätte Kriemhild nun Leides genug getan. Kriemhild zögerte auch nicht lange.

»Ich will Siegfrieds Sarg mit mir nehmen«, sprach sie zu ihrer Mutter, »und ihn in unserem Kloster beisetzen lassen. Dort soll man mich auch einmal neben ihm begraben.«

Aber es kam alles anders, und sie sollte diese Fahrt nach Lorch niemals antreten.

7

Von Osten her, nahe der Grenze, trabte ein Reitertrupp auf der Heerstraße durch Burgunden. Voran ritt ein vornehmer Recke in prachtvoller Rüstung mit großem Gefolge von Rittern und Knechten. Ihre Harnische waren von fremdartiger Arbeit, und auch Waffen und Helme sahen anders aus, als man sie am Rhein zu sehen gewohnt war. Ihre Pferde waren stark und schön, aber sie schienen müde zu sein, als kämen sie von weit her.

Und hinter ihnen – oh, helf Gott! Was waren das für seltsame, unheimliche Gesellen, die da geritten kamen? Wie Katzen hockten sie geduckt auf ihren Pferden – oder sie waren gar darauf festgewachsen, so sah es wahrhaftig aus! Und waren das überhaupt Pferde, diese struppigen, kleinen, häßlichen Tiere? Kein Christenmensch hatte jemals solche Pferde gesehen! Was brachte denn dieser vornehme Herr da für ein Volk ins Land? Und wie das Gesindel ritt! Die Leute in den Meierhöfen und in den Dörfern, durch die sie kamen, rissen Mund und Augen auf. Die Buben, die an die Heerstraße rannten, die fremden Kriegsleute zu sehen, hielten mitten im Laufen an und drängten sich zusammen wie eine Herde Schafe, die Mädchen machten kehrt und liefen schreiend davon. Mit wonnigem Grauen starrten die Buben auf die fremden Reiter. Gesichter, so gelb wie Lehm, geschlitzte Augen, die sonderbar schief über den breiten Backenknochen standen, der Schnurrbart hing lang und dünn an den Mundwinkeln herab, und die Haare auf ihren Köpfen waren ein Gewirr von schwarzen Strähnen, die tief in die Stirne und in den Nacken reichten. Und wie es zuging in dem regellosen Haufen! Sie jagten nach vorne, sie warfen die kleinen Gäule auf den Hinterbeinen herum und sausten zurück! Da hing einer an der Seite vom Pferd, als sollte er sogleich herunterfallen – o nein, da saß er schon wieder oben! Dort sprang einer mitten im Lauf ab – sie waren also doch nicht angewachsen! Sein Pferd stand im nächsten Augenblick stocksteif still wie ein Klotz auf vier Beinen, und schon saß der Reiter wieder im Sattel – wenn das sonderbare Ding überhaupt ein Sattel war!

Der Wächter auf dem Turm über dem Stadttor sah auf die Straße, rieb sich die Augen und starrte wieder hinab. Er fluchte leise. Weiß der Teufel, er hatte doch beinahe nichts getrunken, obwohl es schon bald Abend war! Was kam denn da daher?

Er wußte nicht, wie es geschah, aber plötzlich packte ihn etwas wie Entsetzen, und er riß das Horn an den Mund und blies gellend hinein! O Himmel, was hatte er aber da angerichtet! Im nächsten Augenblick bliesen die Wächter von allen Türmen der Stadtmauer und der Burg den gleichen Warnungsruf, als stände der Feind vor den Toren. Hatte er sich doch wahrhaftig von diesen gelbhäutigen Burschen da drunten ins Bockshorn jagen lassen! Es war freilich kein Wunder, wenn man sie ansah, wie sie in ihren Tierfellen auf den Gäulen hockten, als wären sie gar keine ehrlichen Menschen, sondern Waldschrate oder sonst elbische Wesen.

»Was treibst du denn eigentlich?« schrie plötzlich jemand wütend hinter ihm. »Hast du dein bißchen Verstand jetzt vollends verloren? Bläst der Unglücksmensch ›Feind in Sicht!‹ und bringt Stadt und Burg in Aufruhr! Wo hast du denn deine Augen? Siehst du nicht, daß die Ritter das Wappen des Markgrafen von Bechelaren tragen? Glaubst du, daß Worms überfallen wird? Du Grünschnabel, man merkt, daß du deine Nase noch nie vors Tor hinausgesteckt hast!«

Schuldbewußt blinzelte der junge Wächter nach dem zornigen Herrn, der mit gespreizten Beinen und gesträubtem Bart vor ihm stand.

»Und was soll ich jetzt tun?« fragte er kleinlaut.

»Willst du wohl sofort dein Horn nehmen und ›Gut Freund!‹ blasen, du Tölpel!« brüllte der Alte.

Hastig und ein wenig stolpernd klang der Ruf über Burg

und Stadt. Zögernd wiederholten ihn die Wächter auf den anderen Türmen. Sie wußten wohl nicht, was sie denken sollten.

Unterdessen hatten die Torhüter drunten ein paar Worte mit dem Anführer der fremden Reiter gewechselt. Gleich darauf wurde das Tor geöffnet, und der seltsame Heerhaufen trabte nach der Burg zu. Sonderbar genug nahmen sich die wilden, schlitzäugigen Gesellen zwischen den Mauern von Worms aus! Die biederen Handwerker in ihren Werkstätten schnappten nach Luft bei dem Anblick, und ihre Töchter wagten trotz aller beinahe unerträglichen Neugier kaum mehr als einen scheuen Blick aus dem Fenster zu werfen.

In der Burg hatte man erstaunt aufgehorcht bei dem Durcheinander, das von den Türmen klang.

Gunther und Hagen traten auf den Söller hinaus, gerade in dem Augenblick, als die Spitze des Heerhaufens in den Burghof einritt.

Hagen warf einen Blick auf den Anführer und stieß einen langen Ruf aus. »Das ist ja wahrhaftig unser guter Freund Rüdiger von Bechelaren mit seinen Mannen und einem Haufen Hunnen!« sagte er aufs höchste überrascht. »Was mag ihn nach Worms führen? Es muß zwanzig Jahre her sein, seit wir uns das letztemal begegnet sind. Es ist, weiß Gott, der Mühe wert, daß wir uns beeilen, ihn willkommen zu heißen!«

Raschen Schrittes stiegen die Könige hinunter in den Hof, Hagen, Dankwart, Graf Gere und Volker folgten ihnen.

Markgraf Rüdiger war vom Pferd gesprungen und erwartete sie stehend. Er war schlank und hochgewachsen, und sein Gesicht sah gütig und freundlich aus. Mit einem offenen Lächeln blickte er den Burgunden entgegen. Er kannte Hagen gut, denn sie hatten beide in ihrer Jugend lange Zeit am Hofe des Hunnenkönigs Etzel gelebt, wohin man Hagen einst als Geisel gebracht hatte. Rüdiger selbst, dessen Land weit drunten an der Donau bei Wien lag und zum riesigen Hunnenreiche gehörte, war ein

Lehensfürst Etzels und ihm in ehrlicher Freundschaft ergeben. Auch der große Hunne schätzte ihn sehr: Denn er kannte seine unbestechliche Treue und Gerechtigkeit, um derentwillen jedermann den Markgrafen liebte. Selbst der grimmige Tronjer sah freundlicher drein als sonst, als er seinem Jugendgefährten jetzt die Hand entgegenstreckte.

»Sei willkommen, Freund Rüdiger, ich wüßte mir keinen lieberen Gast als dich. Seit ich damals aus der Etzelburg geflohen bin, haben wir uns nicht wiedergesehen. Aber du bist dennoch kein Fremdling am Hofe der Burgunden!«

»Nein«, sprach Gunther, »mir ist, als hätte ich dich schon lange gekannt! Nun freut es mich, daß du endlich mein Gast bist.«

Auch die anderen begrüßten den Markgrafen herzlich und ehrerbietig, denn seine liebenswürdige Art gewann sogleich ihre Zuneigung. Seine Ritter wurden mit gebührender Höflichkeit empfangen, und auch den hunnischen Recken erwies man alle Ehre.

Sie waren abgesessen und standen ein wenig krummbeinig vom ewigen Reiten neben ihren Pferden. Ihre schwarzen Augen blickten scheinbar ausdruckslos aus schmalen Schlitzen. Aber sie verbeugten sich höflich vor den Gastgebern, und der Markgraf nannte ihre Namen, die im Hunnenreiche groß und gewaltig waren: die Namen von mächtigen Häuptlingen und Verwandten König Etzels.

Auf den ersten Blick schien ihre Kleidung freilich fremdartig und barbarisch genug. Aber die Felle, die sie über dem Kettenpanzer trugen, waren sehr kostbar und mit schweren goldenen Spangen befestigt, und die funkelnden Steine darin mochten weit über die Steppen Asiens hergekommen oder vielleicht aus dem Schatz eines römischen Kaisers geraubt sein. Wer konnte das wissen, es waren wilde Zeiten gewesen, als die zahllosen hunnischen Reiterhorden Europa überfluteten!

Rüdiger saß neben König Gunther im Thronsaal, und an

langen Tischen tranken die Burgunden mit den Recken von Bechelaren und den hunnischen Häuptlingen den besten Wein, der an den Hängen des Rheins gewachsen war.

»Nun erzähle mir, wie es König Etzel und Frau Helche, seiner Gemahlin, geht«, sprach Gunther. »Sie ist eine der edelsten Frauen, die ich kenne, und es ist ein wahrer Segen, daß sie Königin des riesigen Hunnenreiches ist.«

Das gute Gesicht des Markgrafen wurde sehr ernsthaft. Er stand auf, und sofort erhoben sich auch die Ritter und die Hunnen.

»König Gunther«, begann er, »erlaube mir, zu sagen, was mich zu dir führt: König Etzel, mein Herr, läßt dir Gruß und Freundschaft bieten. Er lebt in großer Trauer in seiner Burg, denn Frau Helche ist gestorben. Nun ist er allein, und der riesige Hofstaat in der Etzelburg hat keine Herrin. Aber auch für das große Reich mit den vielen Völkern, die ihm untertan sind, ist es sehr schlimm: Denn die Königin hat oft Etzels Sinn besänftigt und viel bei ihm erreicht. Nun haben wir ihn gebeten, dem Reiche eine neue Königin zu geben. Er wollte lange nichts davon hören. Aber endlich willigte er ein und fragte uns um Rat. Wir wußten ihm keine schönere und edlere Fürstin vorzuschlagen als Frau Kriemhild, deine Schwester. Darum bin ich hier, die Königin und ihre Hand für meinen Herrn zu bitten, und ich hoffe auf deine Zustimmung.«

Die Burgunden blickten überrascht auf. Kriemhild, Königin der Hunnen? Daran hatte keiner von ihnen je gedacht. Gunther sah Hagen an. Dessen Gesicht war im Nu zu einer finsteren Fratze geworden.

»Ich danke deinem König für seine Freundschaft und für die Ehre, die er unserer Schwester erweist«, sprach Gunther. »Und dir danke ich für deine Botschaft. Ich will sie Kriemhild überbringen. Aber ich bitte dich um ein paar Tage Zeit für sie. Denn sie trauert noch immer um Siegfried, und ich weiß nicht, was sie beschließen wird.«

»Willst du sie bitten, daß sie mir erlaubt, ihr selbst meine Botschaft auszurichten?« fragte Rüdiger schnell.

»Ich will es tun«, nickte Gunther. Er sah sehr nachdenklich aus.

Bald darauf empfahlen sich die wegemüden Gäste, um in ihre Herbergen zu gehen, denn es war lange nach Mitternacht.

Die Burgundenkönige blieben mit Hagen allein im Saale zurück.

Sie sahen einander schweigend an. Dann lachte Hagen laut und zornig auf. »Das hat uns noch gefehlt!« stöhnte er. »Darauf haben wir gerade gewartet! Kriemhild Königin der Hunnen! Der Teufel hat gute Einfälle, das muß ich sagen!«

Gunther zuckte verwundert die Achseln. »Ich weiß nicht, was du willst. Es wäre doch ein großes Glück für Kriemhild und auch für uns: Denn sie würde weit fort sein und ihren Haß und ihre Rache wohl vergessen. Der mächtige König Etzel aber wäre unser Schwager. Versteht ihr, was das bedeuten würde?«

»O ja, das ist leicht zu verstehen!« spottete Hagen. »Aber mir scheint, du hast es doch nicht begriffen. Gib acht, ich will es dir erklären, König von Burgunden! Wird Kriemhild Etzels Gemahlin, so ist die ganze Macht der Hunnen ihr untertan. Und sie vergißt ihre Rache nicht, solange sie noch einen Tropfen Blut in den Adern hat! Wollt ihr, daß sie ihre gelben Steppenwölfe gegen uns hetzt?«

Gunther starrte ihn betreten an. »Ich glaube es nicht«, murmelte er zweifelnd, »sie ist doch unsere Schwester.«

»Daran solltet ihr endlich einmal denken!« Giselher war zornig aufgesprungen. »Sie ist unsere Schwester, und wir müssen endlich auch einmal etwas Gutes für sie tun. Sie hat, bei Gott, Leid genug von ihren Verwandten erfahren!«

Gernot stimmte ihm zu, und Gunther mochte nicht allein dagegenreden, obwohl er heimlich schon Hagen recht gab. Der Tronjer schob den Kopf vor, daß sein schwarzer Bart

waagrecht in die Luft starrte. Er war so wütend, daß seine
Narbe blutrot anschwoll.

»Nun – dann rennt in euer Verderben, ihr Burgunden,
wenn ihr es nicht anders haben wollt!« schrie er. »Ich habe
euch genug gewarnt!« Damit schritt er dröhnend aus dem
Saal.

Am Morgen schickten die Brüder Markgraf Gere, der
Kriemhild besonders treu ergeben war, zur Königin, um
ihr Etzels Botschaft zu überbringen.

Sie war so überrascht, daß sie meinte, ihn nicht recht
verstanden zu haben. »Sage es noch einmal!« bat sie
zögernd. »Wollen meine Brüder und Hagen einen schlech-
ten Scherz mit mir treiben. Und du, Graf Gere?«

Er zuckte zusammen und wurde feuerrot. »Du weißt, daß
ich lieber sterben würde, als dich kränken, Königin. Aber
es ist alles wahr, und Rüdiger von Bechelaren wartet darauf, von dir empfangen zu werden!«

Da fuhr Kriemhild auf, als wenn sie jetzt erst begriffen
hätte, was man von ihr wollte. »Wozu soll ich ihn denn
empfangen? Ich denke doch nicht daran, den König der
Hunnen zu heiraten! Man soll mich doch endlich in
Frieden lassen! Ich will nichts mehr als Ruhe und . . .« sie
brach ab und sah starr vor sich auf den Boden ». . . und
meine Rache!« hatte sie sagen wollen. Da war ihr plötzlich ein ungeheuerlicher Gedanke gekommen. Vielleicht,
wenn sie Etzels Gemahlin wurde – aber nein, nein, sie
konnte es nicht!

»Laß mich allein, ich muß nachdenken!« sprach sie zu
Gere. »Ich kann dir noch keine Antwort geben.«

Als er fort war, ging sie in ihrer Kemenate ruhelos auf und
ab und überlegte fieberhaft. Aber wenn sie einen Augenblick meinte, sie könnte es tun, so schien es ihr gleich
darauf unmöglich.

Eine Weile später kamen Gernot und Giselher. Beide begannen ihr eifrig zuzureden.

»Etzel ist reicher und mächtiger als der Kaiser, und er
kann kein schlechter Mann sein, denn die gute Königin

Helche hat glücklich mit ihm gelebt. Und Rüdiger von Bechelaren ist sein Freund. Das ist ein gutes Zeugnis für den Hunnenkönig.«

So sprachen sie, und Kriemhild meinte, daß sie gewiß recht hätten. Aber sie konnte sich zu keinem Entschluß aufraffen.

»Ich will Rüdiger morgen sehen«, versprach sie schließlich, und ihre Brüder gaben sich damit zufrieden. Der Markgraf würde seine Sache schon zu vertreten wissen.

In dieser Nacht tat die Königin kein Auge zu.

Aber als Rüdiger am Morgen mit einem Gefolge von zwölf Rittern in ihre Kemenate trat, begrüßte sie ihn ruhig und freundlich.

»Der König der Hunnen erweist mir viel Ehre«, sprach sie. »Aber ich weiß nicht, ob ich seinen Wunsch erfüllen kann.«

»Ich schwöre, daß du es nie bereuen würdest, Königin«, sagte der Markgraf ehrerbietig und fuhr mit Eifer fort: »Du wirst über zwölf Reiche gebieten, mein Herr ist gut, und du kannst als Königin dort viel Segen stiften. Die hunnischen Krieger werden zu deinen Diensten sein und auch viele edle Herren aus unseren Landen, die Etzels Lehensmannen sind.«

Er blickte sie an und sah, wie blaß sie war und wie sie die Hände unruhig ineinanderschlang. Es tat seinem guten Herzen leid, denn er wußte wohl, wieviel Schweres sie erlebt hatte.

»Herrin«, sagte er so gut und freundlich, wie es seine Art war, »selbst wenn du dort im Hunnenlande keinen anderen Menschen hättest, so wäre ich doch da mit meinen Mannen und würde es jedem bitter vergelten, der dich zu kränken wagt.«

Kriemhild tat einen schnellen Schritt auf ihn zu.

»Schwörst du mir, mich zu rächen, wenn mir jemand ein Leid zufügt?« fragte sie hastig.

»Ich schwöre es, Königin!« Er wunderte sich ein wenig, daß ihr so viel an diesem Eid lag, aber er dachte, sie hätte gewiß Angst, in dem fremden Land allein und schutzlos unter dem wilden Volk zu sein.

Sie tat einen tiefen Atemzug. »So mag es geschehen«, sprach sie. »Ich will mit dir zu König Etzel fahren.«

Rüdiger neigte sich tief. »Ich danke dir, Herrin! Und nun sage mir, wann du reisen kannst, damit wir alles vorbereiten.«

»Wir wollen so schnell als möglich reiten. Da es nun schon einmal entschieden ist, mag ich nicht mehr lange hierbleiben.« Als Rüdiger fort war, rief sie eilig ihre Mägde und Kämmerer und befahl, sofort alles für die Reise zu richten. Eine fieberhafte Hast erfüllte sie, als könnte sie es kaum mehr erwarten, fortzukommen.

Während die Mägde Gewänder und Schmuck und alle anderen Kostbarkeiten, deren die Königin immer noch eine große Menge besaß, in Truhen packten, prüfte Kriemhild mit ihrem vertrauten alten Kämmerer ihr Vermögen an gemünztem Gold.

Nachdenklich stellte sie ein Kästlein nach dem andern zur Seite. »Das gehört den Mönchen, die für Siegfrieds Seelenruhe beten. Dieses hier ist für meine Armen. Aus diesem Kästlein ist der Sold an meine Kriegsleute zu bezahlen, die ich nun entlassen muß. Das übrige Gold nehme ich mit auf die Reise. Und nun« – sie legte dem alten treuen Diener die Hand auf den Arm und sah ihn eindringlich an – »nun mußt du etwas für mich tun. Geh zu Hagen und sage ihm, ich verlange, daß er den Nibelungenhort herausgibt. Er ist mein Eigentum, und ich will ihn mit mir ins Hunnenland nehmen.«

Der Alte schüttelte bedrückt den Kopf. »Ich will tun, was ich kann. Aber es wird wohl nichts nützen.«

Er hatte recht. Hagen lachte ihn aus, als er seinen Auftrag vorbrachte. »Solange Kriemhild mich haßt, bleibt Siegfrieds Gold, wo es ist. Und da sie nicht aufhören wird, mich zu hassen, wird sie es wohl niemals bekommen. Geh, Alter, und sage es deiner Herrin.«

Als der Kämmerer zu Kriemhild zurückkam, war Rüdiger bei ihr, um noch allerlei zu besprechen, was die Reise betraf. Kriemhild erzählte ihm, wie Hagen den Hort geraubt und versteckt hatte und beklagte sich bitter, daß sie nun beinahe arm an den Hunnenhof käme.

Der Markgraf lächelte nur. »Du kennst Etzels Reichtum nicht«, sagte er. »Du magst viel oder wenig mitbringen, es wird für ihn keinen Unterschied ausmachen.«

»Und du kennst den Reichtum nicht, den ich besessen habe«, widersprach sie traurig.

Sie erhielt aber aus der königlichen Schatzkammer ihren Anteil am Erbe der Burgunden, und das waren viele Säckel Goldes. Das tröstete sie ein wenig. »Nun kann ich doch die Hunnen bezahlen, wenn ich einen Dienst von ihnen brauche«, dachte sie.

Endlich waren alle Vorbereitungen getroffen, und der Tag der Abreise kam. Kriemhild ging noch einmal zum Grabe Siegfrieds, um Abschied zu nehmen. Die alte Königin schloß sie weinend in die Arme; sie wußte, daß sie ihre Tochter wohl nie mehr sehen würde.

Gernot und Giselher sollten ihre Schwester mit vielen Recken bis zur Grenze begleiten. Eckewart wollte mit Kriemhild an Etzels Hof bleiben.

Die Hunnenfürsten ritten stolz und schweigsam mit den burgundischen Herren, und selbst die jungen hunnischen Recken trabten diesmal gesittet im Zuge, ohne daß sie versuchten, sich mit Reiterkünsten die Hälse zu brechen.

Hagen ließ sich nicht blicken, und es verlangte auch niemand nach ihm. Aber am Fenster ihrer Kemenate stand Brunhild und sah finsteren Gesichts zu, wie ihre verhaßte Feindin für immer aus der Burg ihrer Väter fortzog.

Gunther ritt nur ein Stück des Weges vor die Stadt, dann nahm er Abschied und kehrte um.

Markgraf Rüdiger rief ein Dutzend von den jungen Hunnenkriegern zu sich heran. »Ihr reitet voraus, so schnell ihr könnt«, befahl er, »und meldet König Etzel unsere Ankunft!«

Ein so entsetzliches, wildes Freudengeheul antwortete

ihm, daß Kriemhild, die neben ihm ritt, erschrocken nach seinem Arm griff.

Der Markgraf lachte. »Du brauchst keine Angst zu haben! So heulen sie, wenn sie sich freuen. Du wirst dich daran gewöhnen.«

Die Hunnen aber hatten schon ihre struppigen Gäule herumgerissen und sausten in rasendem Galopp davon, zusammengekauert wie Katzen auf den gespannten Pferderücken. Eine Staubwolke wirbelte auf, eine Weile hörte man noch das flinke Trommeln der Hufe, dann waren sie fort.

An der burgundischen Grenze nahmen dann auch Gernot und Giselher mit ihren Recken Abschied.

Kriemhild weinte, als sie Giselher küßte. »Ich wollte, du könntest mit mir reiten«, sagte sie traurig.

»Wenn du mich brauchst, so schicke mir Botschaft! Du weißt, daß ich immer für dich da sein werde«, tröstete er. »Du hast ja auch Eckewart, und einen treueren Mann als Rüdiger gibt es nicht. Er würde dich mit seinem Leben schützen.«

Da dachte Kriemhild wieder an Rüdigers Eid und wurde ein wenig zuversichtlicher.

Die Reise ging weiter durch Bayern, wo sie in vielen Burgen und Städten Rast hielten. In Passau kehrten sie beim Bischof Pilgrim ein, der ein Oheim der Burgunden war. Überall wo sie hinkamen, bestaunte das Volk den prächtigen Aufzug und erzählte sich die Geschichte von Siegfried und Kriemhild, und alle wollten die schöne Königin sehen, die nun die Gemahlin des Hunnenkönigs werden sollte.

Rüdiger sandte zwei seiner Ritter nach Bechelaren voraus, zu seiner Gemahlin Gotlinde. Denn sie wollte ihm und der künftigen Königin des Hunnenreiches entgegenreiten und sie mit großem Gefolge feierlich empfangen.

»Kriemhild wird froh sein, in der Fremde Menschen ihrer eigenen Art zu treffen«, hatte die verständige Frau beim Abschied zu ihrem Gemahl gesagt.

Auf dem weiten Felde zwischen Enns und Traun hatten die Knechte von Bechelaren auf Befehl der Markgräfin ein großes Zeltlager aufgeschlagen. Es war eben alles fertig geworden, und Gotlinde ging selbst noch einmal durch die Zelte, um nachzusehen, ob für Herren und Gesinde gut gesorgt sei. Da kam der Knecht gelaufen, dem sie befohlen hatte, Ausschau zu halten.

»Sie kommen!« verkündete er aufgeregt. »Es ist ein sehr langer Zug, und sie führen eine Menge Dienstleute und Wagen mit. Beinahe hätte ich auch Herrn Rüdiger und die Königin schon erkannt, aber sie waren doch noch nicht nahe genug . . .«

»Du hast dir reichlich viel Zeit zum Schauen genommen«, unterbrach ihn die Markgräfin tadelnd, raffte eilig ihr Gewand zusammen und lief durch die enge Gasse zwischen den Zelten nach der Hütte, wo die Pferde schon gesattelt standen und ihr Gefolge wartete.

»Schnell zu Pferde!« rief sie und ließ sich von einem Ritter in den Sattel heben. Sie sah jung und schlank aus, obwohl ihre Tochter Dietlinde bereits achtzehn Jahre zählte. Schon flog sie ihren Begleitern voran auf der Straße gegen die Enns zu. Ihr Pferd war schneeweiß und trug eine Satteldecke aus blauem Samt, und kleine goldene Glöcklein klingelten fröhlich am Zaumzeug, wie die Markgräfin so dahinsprengte.

Da kam ihnen schon der Zug entgegen. Noch ein paar Sprünge, dann zog Gotlinde die Zügel an. Sie hatte Rüdiger erkannt und die Frau gesehen, die neben ihm ritt.

Rasch glitt sie aus dem Sattel, und auch ihr Gefolge sprang ab. So gingen sie ihrer künftigen Königin entgegen.

Da hielt auch Kriemhild an und bat Rüdiger, sie vom Pferd zu heben.

Sie schritt auf die Markgräfin zu und küßte sie herzlich. »Gott lohne dir deine Freundlichkeit!« sagte sie. »Es tut gut, im fremden Lande so empfangen zu werden!«

Rüdiger hatte die Begrüßung lächelnd mitangesehen. Er

war es gewohnt, daß Gotlinde sofort alle Menschen gewann.

Ihre Augen strahlten ihn an. »Ich bin froh, daß du heil und gesund zurückgekommen bist«, sagte sie zufrieden und küßte ihn.

Eine Weile gab es nun ein großes Getümmel im Lager, bis alle einander begrüßt hatten und gut untergebracht waren. Die Wagen wurden zusammengeschoben und Wachen aufgestellt. Langsam begann es zu dunkeln. Die Küchenleute der Markgräfin und Kriemhilds Gesinde hatten noch viel Arbeit, und es dauerte lange, bis es im Lager still wurde.

Am Morgen zog man weiter nach der Burg des Markgrafen zu Bechelaren, wo seine Tochter Dietlinde die Gäste erwartete. Sie war fein und schlank wie ihre Mutter und hatte ein liebliches schmales Gesichtlein. Staunend hingen ihre Augen an Kriemhild, die ihr märchenhaft schön erschien. Sie wich ihr kaum von der Seite in den Tagen, die die Königin in der Burg ihres Vaters verbrachte.

Als sie wieder aufbrachen, sprach Rüdiger zu Kriemhild: »König Etzel wünscht, daß ich dich nach Burg Traismauer geleite. Dort will er mit dir zusammentreffen.«

»Ja«, sagte Kriemhild nur. Dann ritt sie lange schweigend weiter. Ihr Herz klopfte mit hastigen Schlägen. Die alte Angst war wieder über sie gekommen. Wie Etzel wohl sein mochte? Sie warf einen scheuen Blick nach hinten, wo die hunnischen Fürsten ritten. Sie hatte sich an sie gewöhnt. Aber deshalb blieben sie doch gelb und häßlich und krummbeinig. Etzel war auch ein Hunne und sah gewiß so ähnlich aus wie sie. Wahrscheinlich hatte er auch schreckliche barbarische Sitten und war grausam und unmenschlich. »Nein, ich kann es nicht tun!« dachte sie abermals verzweifelt. Aber nun gab es wohl kein Zurück mehr.

Als hätte Rüdiger ihre trüben Gedanken erraten, begann er vom Leben an Etzels Hof zu erzählen, von Frau

Helche, der der König die Burg Traismauer geschenkt hatte, von den vielen berühmten Helden der Christenheit, die in der Etzelburg aus und ein gingen, und wie ein jeder, ob Christ oder Heide, im Hunnenreiche nach seiner Art leben durfte.

Nach einem langen Ritt kamen sie müde in Traismauer an. Kriemhild staunte, als sie durch die Gemächer schritt. Die Burg war herrlich ausgestattet, nichts war barbarisch, nichts erinnerte an hunnische Sitten. Es wurde ihr ein wenig leichter ums Herz: Alles war gar nicht anders als in irgendeiner reichen Burg am Rhein. Man merkte wohl, daß die Königin Helche hier gewohnt hatte.

An diesem Abend stand Kriemhild noch lange auf dem Söller und horchte in die Nacht hinaus, in der allenthalben eine sonderbare Unruhe geisterte. Unter ihr und weitum dehnte sich die Ebene. Es schien ihr, sie hätte nie so viele Sterne am Himmel gesehen wie heute, und der Mond strahlte ein kaltes, blaues Licht aus. Drunten am Tor und rings um die Mauer gingen mit unhörbaren Schritten wie Katzen die hunnischen Krieger ihre Wachrunden. Kriemhild haßte diese schleichende Lautlosigkeit. Sie dachte daran, daß in der Halle Graf Eckewart mit seinen Recken schlief und in den Kammern neben ihrer Kemenate ihre burgundischen Mägde. Das war gut.

Sie verließ den Söller und legte sich zu Bett. Die Nacht war warm, und die Fenster standen weit offen. Sie konnte nicht einschlafen, von draußen kamen immerfort diese unbekannten und beunruhigenden Nachtgeräusche. Plötzlich fuhr sie auf.

Weit aus der Ferne klang es wie Trommeln, dumpf dröhnend, unheimlich schnell. Es kam näher, wurde immer lauter, der Boden zitterte davon – o Gott, was war das? Die Königin sprang auf, warf mit fliegenden Händen ihr Gewand über und lief auf den Söller hinaus. Im gleichen Augenblick sah sie, wie ein riesiger Schwarm von Reitern im Mondlicht über die Ebene auf die Burg zujagte. Im Nu wimmelte das ganze weite Feld von windschnellen, dunklen Pferden, auf denen kleine, geduckte Gestalten kauerten. Kriemhild fühlte, wie ein Schwindel sie packte. Sie wollte zurück in ihr Schlafgemach, aber sie kam nicht von der Stelle. Entsetzt schrie sie auf und blieb wie angewurzelt stehen, die Hände an die Ohren gepreßt. Von drunten stieg dieses höllische, ohrenzerreißende Geheul zu ihr herauf, das sie nun schon kannte, dieses gräßliche markerschütternde Freudengeschrei der Hunnenkrieger. Aber diesmal brüllten viele Hunderte oder vielleicht Tausende, sie wußte es nicht. Sie wankte zurück in die Kemenate, während langsam das Gebrüll drunten verstummte. Draußen auf dem Gang klang ein Schritt. Gottlob, das waren nicht schleichende Hunnenfüße, das klirrte wie Stahlschienen und Harnisch und Schwert! Kriemhild lief zur Tür und riß sie auf. Rüdiger stand vor ihr mit einem Licht in der Hand. Mitleidig blickte er in ihr verstörtes Gesicht.

»Ich habe mir gedacht, daß du dich fürchten würdest«, sagte er mit seiner warmen, beruhigenden Stimme. »Aber habe keine Angst! Ich bleibe vor deiner Tür bis zum Morgen, und Graf Eckewart läßt dir sagen, daß er die ganze Nacht in der Halle drunten wachen wird! Aber auch die hunnischen Wächter würden sich eher die Haut abziehen lassen, bevor der Braut ihres Königs ein Leid geschähe. Es werden in den nächsten Tagen noch viele Häuptlinge mit ihren Kriegern herkommen zu deiner Hochzeit. Denke daran, daß alles dir zu Ehren geschieht!«

Sie sah ihn dankbar an. »Gott lohne dir deine Treue, Markgraf Rüdiger!« sagte sie, noch fast schluchzend von dem ausgestandenen Schrecken.

In dieser Nacht noch ein paarmal und in den folgenden Tagen oft kamen neue Schwärme von Kriegern aus allen Teilen des Hunnenreiches an. In der weiten Ebene entstand allmählich ein riesiges Heerlager. Sie kamen aus den Steppen Rußlands, aus Polen und der Walachei, aus dem Lande um Kiew und vom Schwarzen Meer. Aber auch die Lehensfürsten aus deutschen und österreichischen

Landen waren zur Hochzeit geladen und erschienen mit großem Gefolge.

Und endlich am vierten Tage meldeten Boten der Königin und dem Markgrafen von Bechelaren, König Etzel selbst reite mit vielen Lehensmannen und befreundeten Fürsten gegen Traismauer. Da ließ sich Kriemhild von ihren Mägden ihr kostbarstes Gewand anlegen. Es war aus blauer Seide, mit Gold durchwirkt und mit Edelsteinen bestickt. So ritt sie an der Seite Rüdigers dem Hunnenkönig entgegen. Bald sahen sie in der Ferne über der Heerstraße eine endlose Staubwolke.

Wie ein Schwarm wilder Vögel brauste ihnen eine Reiterschar daraus entgegen.

»Das ist der Walachenherzog Ramung«, sagte Rüdiger, als er das Wappen des Anführers erkannte. Die Reiter stoben zu beiden Seiten auseinander, schlossen sich hinter ihnen wieder zusammen und folgten ihnen.

Nun sprengte der Ostgotenfürst Gibich mit seinen Recken heran, nach ihm Herzog Hornboge und der kühne Haward von Dänemark. Dann kam Iring der Starke, von dem es hieß, er und sein Roß duldeten niemand vor sich, wenn es in die Schlacht ging. Groß und breit, mit brandrotem Bart, dröhnte Herr Irnfried von Thüringen heran.

Jetzt spie die Staubwolke vor ihnen einen Schwarm hunnischer Reiter aus. Sie trugen Leopardenfelle übergeworfen, und ihre Pferde flogen über den Boden wie von der Sehne geschnellte Pfeile.

An ihrer Spitze ritt ein Hunnenfürst. Er zügelte sein Pferd und grüßte tief und ehrerbietig vor Kriemhild, ehe er von der Straße abbog. Kriemhild stockte einen Augenblick der Herzschlag: Denn sie dachte, es wäre König Etzel. Sie sah ihn schnell und scheu an. Sein Gesicht war dunkel und schmal, nur die Backenknochen standen ein wenig vor, und die schrägen Augen waren groß und leuchtend. Er hockte auch nicht auf dem Pferde wie eine geduckte Katze, seine Haltung war frei und ritterlich.

»Er ist schön«, dachte Kriemhild verwundert, »obgleich er ein Hunne ist.«

Rüdiger beugte sich zu ihr herüber.

»Das war Blödelin, König Etzels Bruder.«

Sie hatte keine Zeit mehr zu antworten, denn nun kamen ihnen zwei Reiter auf weißen Pferden entgegen. Sie trugen beide eine Krone auf dem goldenen Helm, und ihre Rüstungen zeigten die gleiche fürstliche Pracht. Dennoch konnte es auf der Welt kaum zwei Männer geben, die einander so wenig glichen wie sie. Langsam ritten sie näher. Kriemhild fühlte, wie ihr Herz laut zu pochen begann.

»König Etzel und Dietrich von Bern, der König der Goten«, hörte sie Rüdigers leise Stimme neben sich.

Er hätte es nicht zu sagen brauchen: Sie hatte sofort gewußt, daß der Reiter zur Rechten Etzel war. Sie sah auch, daß seine Augen beim Näherreiten unverwandt auf sie gerichtet blieben. Plötzlich glitt er geschmeidig aus dem Sattel, ohne das Pferd anzuhalten.

Zugleich war auch Rüdiger abgesprungen und hob Kriemhild vom Pferde. Er spürte, daß ihre Hand eiskalt war und zitterte. »Du mußt ihm entgegengehen«, flüsterte er und lächelte ihr ermutigend zu.

Im nächsten Augenblick stand Etzel vor ihr. »Ich bin glücklich, daß du gekommen bist, Frau Kriemhild.«

Sie horchte auf: Seine Stimme war tief und weich. Und als sie in sein Gesicht sah, verstand sie, daß dieser Mann das Riesenreich der Hunnen aufzubauen und zu beherrschen vermochte.

Es ging eine ungeheure Macht von ihm aus. Seine Haut hatte eine warme, dunkle Färbung, und seine Augen waren so leuchtend schwarz wie die seines Bruders. Er sah gewaltig und fremdartig aus wie das geheimnisvolle Land Asien, aus dem er kam. Aber er schien ihr nicht schrecklich oder abstoßend, und sie fühlte, wie ihre Furcht sie verließ.

So reichte sie ihm die Hand und küßte ihn, wie es die höfische Sitte ihrer Heimat verlangte. Aber dennoch dünkte sie, dies alles könne nicht Wirklichkeit sein, und sie träume vielleicht. Sie dachte an Siegfried. Hätte er nicht sterben müssen, so wäre sie nie hierhergekommen, um Königin der Hunnen zu werden!

»Willst du mir die Freude machen, Herrn Dietrich zu begrüßen, der mein Freund ist?« bat Etzel, und Kriemhild meinte bei sich, daß seine höfischen Sitten genauso höfisch waren wie die irgendeines abendländischen Fürsten.

Dietrich von Bern beugte sein blondes Löwenhaupt vor ihr. Sie wußte, daß es seit Siegfrieds Tod keinen größeren Helden in der ganzen Christenheit gab als den berühmten Gotenkönig, der zu dieser Zeit an Etzels Hof zu Gast war.

So begann das Fest von Etzels und Kriemhilds Hochzeit zu Wien. Es dauerte siebzehn Tage, und Pracht und Herrlichkeit des Morgenlandes vereinigten sich mit der ritterlichen Kultur des Abendlandes zu höchstem Glanze.

Kriemhild sah alles an sich vorüberrauschen wie einen seltsamen wunderbaren Traum. Dann war eines Tages das Fest zu Ende, und sie ritten in einem endlosen Zug gegen Ungarn hinab. Bei Miesburg lagen Etzels Schiffe auf der Donau und nahmen die vornehmen Gäste auf, während Gefolgsleute und Troß ihren Weg zu Lande weiterzogen. Unter einem Zelt aus Gold und Purpur fuhr die neue Königin der Hunnen nach Etzelburg.

Dort empfing sie Dietrichs Gemahlin, Frau Herrat, die eine Nichte der verstorbenen Königin Helche war und seit deren Tod dem Hofstaat Etzels vorstand. Sie führte Kriemhild getreulich in die Leitung der großen Hofhaltung mit den vielen Dienstleuten ein, und so wurde aus der burgundischen Prinzessin, aus der Königin von Niederlanden und Nibelungen, unmerklich und allmählich die Herrin des riesigen Hunnenreiches.

Sie lernte die ungeheure Macht Etzels schätzen. Sie kannte

nun sehr wohl die Gesichter der hunnischen Häuptlinge, von denen sie anfangs mit Schrecken gesagt hatte, sie sähen einander so ähnlich, daß man nie wisse, wen man vor sich habe.

8

Es herrschte viel Leben in der Etzelburg: Der Königin schien es manchmal, hier liege der Mittelpunkt der Welt. Sie tat still ihre Pflicht, sie begrüßte die berühmten Rekken, die an dem Hunnenhofe aus und ein gingen, und wachte darüber, daß gut für sie gesorgt wurde.

König Etzel war sehr gut zu ihr und hätte ihr jeden Wunsch erfüllt, wenn sie nur etwas gewünscht hätte. Aber sie wollte nie etwas für sich. Sie tat alles freudlos, und selbst als ihr Söhnlein geboren wurde, vermochte sie nicht froher zu werden.

Wenn in der riesigen Halle der Etzelburg ein Fest gefeiert wurde und Etzels berühmte Sänger Swemmel und Werbel ihre wilden und traurigen Lieder sangen, bis die Gäste vor Begeisterung toll waren, stand Siegfrieds Schatten vor ihr auf. Dann starrte sie vor sich ins Leere, daß ihr Gemahl oft erschrak, wenn er in ihr totenblasses Gesicht sah. Überschüttete er sie mit kostbaren Geschenken, so dankte sie wohl:

Aber sie dachte an den Nibelungenhort, der ihr gehörte, und an Hagen, der ihn geraubt hatte.

Manchmal glaubte sie, es nicht länger ertragen zu können, daß Siegfrieds Tod und dieser Raub noch immer ungerächt waren. Ihr Haß schlief nicht ein, als die Jahre vergingen. Aber sie verbarg ihre Gedanken sorgfältig, und niemand ahnte, daß die schöne Königin der Hunnen von einem wilden Rachegeist besessen war, der ihr Tag und Nacht keine Ruhe ließ. Sie verteilte viel von ihrem Gold an die hunnischen Krieger in der Etzelburg, damit sie ihr treu ergeben und zu Diensten sein sollten, wenn sie eines Tages ihrer bedürfen würde.

Wenn sie allein war, saß sie oft lange unbeweglich und sah mit starren Augen in irgendeinen Winkel. Ihr Herz war krank vor Leid, und hinter ihrer glatten, weißen Stirn reifte allmählich ein furchtbarer Plan. Als sie ihn genau ausgedacht hatte, begann sie ihn ohne Zögern auszuführen.

»König Etzel«, sprach sie zu ihrem Gemahl, »nun bin ich sieben Jahre hier und dir eine treue Ehefrau gewesen. Willst du mir einen Wunsch erfüllen?«

Er wandte sich überrascht zu ihr. Es war das erstemal, daß sie ihn um etwas bat.

»Du darfst dir wünschen, was du willst«, sagte er.

»Ja – siehst du«, sprach sie langsam, »nun habe ich daheim am Rhein so viele Verwandte, und keinen von ihnen habe ich wiedergesehen, seit ich hier bin. Ich sehne mich sehr nach ihnen.«

Etzel lächelte. »Und du willst, daß ich sie einlade, zu uns zu kommen«, vollendete er.

Sie nickte, aber zu seiner Verwunderung schien sie sich nicht zu freuen.

»Dein Wunsch ist schon erfüllt«, sagte er. »Ich werde Boten an den König von Burgunden senden, und ihn und deine ganze Sippe bitten, unsere Gäste zu sein, wenn ihnen die Reise nicht zu weit ist.«

»O nein, sie werden gewiß kommen«, versicherte Kriemhild hastig.

Etzel gefiel der Gedanke an den Besuch der berühmten Burgundenkönige, und er beschloß, ihn zu einem großen Fest zu machen.

»Swemmel und Werbel sollen sogleich an den Rhein fahren«, bestimmte er mit Eifer. »Sie sind gute Boten und kennen überall Land und Leute.«

Er ließ die beiden Spielleute rufen. »Ich habe einen Auftrag für euch! Ihr bereitet euch, so schnell ihr könnt, nach Worms zu fahren und die Burgundenkönige und alle anderen Verwandten der Königin nach Etzelburg zu laden!«

Die beiden häßlichen Burschen, denen die Haarsträhnen über die niedrige Stirn fast in die Augen hingen, verneigten sich tief.

»Wie du befiehlst, Herr!« Sie hätten sich für ihn in Stücke hauen lassen, wenn er es befohlen hätte.

»Ehe ihr reitet, kommt zu mir«, sprach Kriemhild, »damit ich euch noch sagen kann, was ihr meinen Verwandten ausrichten sollt.«

Sie lief ruhelos in ihrer Kemenate hin und her, als wäre sie darin gefangen, und es schien ihr endlos lange, bis die beiden Boten ihre runden Köpfe durch die Tür schoben. Sie hatten ihr herrlichstes Gewand angetan, sich prächtig mit Fellen geschmückt, und allerlei Zierrat hing überall an ihnen. So sahen sie seltsam und wild aus.

Kriemhild gab jedem einen Beutel Gold. »Hört gut zu!« sagte sie eindringlich. »Ich möchte, daß meine drei Brüder kommen und auch die alte Königin, meine Mutter. Aber sie sollen ja nicht ohne meinen Oheim Hagen reiten: denn er kennt aus seiner Jugendzeit die Wege ins Hunnenland genau und muß ihr Führer sein. Wenn ihr mir Botschaft bringt, daß Hagen kommt, so sollt ihr noch einmal so viel Gold haben.«

»Hagen wird kommen«, versicherte Swemmel ernsthaft.

»Er muß es tun«, bekräftigte Werbel. Sie waren es gewohnt, daß alle Befehle des Königs und der Königin von jedermann befolgt wurden. Mit ehrfürchtigem Gruß verschwanden sie.

Gleich darauf jagten sie, gefolgt von zwei Dutzend hunnischen Reitern, aus dem Burghof und bogen in die Heerstraße nach Westen ein. Bald war nichts mehr von ihnen zu sehen als eine schnell fortwandernde Staubwolke. –

Als der Turmwächter am Stadttor zu Worms sie drunten ankommen sah, gedachte er des Donnerwetters, das schon einmal um solcher gelber Burschen willen über ihn gekommen war, und er blies eilig den Ruf »Gut Freund!«

über die Stadt. Denn er wußte natürlich, daß die Hunnen aus Kriemhilds Land kamen.

Hagen lehnte an der Brüstung des Söllers und sah zu, wie sie in den Burghof ritten. Er pfiff überrascht durch die Zähne, als er die Boten erkannte. Swemmel und Werbel waren schon zugleich mit ihm an Etzels Hof gewesen, und er vergaß nie ein Gesicht, das er gekannt hatte, selbst wenn Jahre darüber hingegangen waren.

»Sieh da, Kriemhild schickt uns ihre schlitzäugigen Steppenwölfe«, murmelte er. »Was mag das bedeuten?«

Er trat zurück in die Halle, wo König Gunther saß. »Mache dich bereit, die Boten deiner Schwester zu empfangen«, sagte er. »Eben sind Etzels berühmte Spielleute in den Hof geritten. Ich gehe ihnen entgegen, denn ich kenne sie.«

Er schickte seinen Kämmerer, Gernot und Giselher zu benachrichtigen, und stieg dann mit gemessener Würde die Stiege hinab in den Burghof.

Auch die hunnischen Sänger erkannten ihn sogleich wieder und begrüßten ihn mit lauter Freude. »Uns senden Herr Etzel und die Königin mit Botschaft an den König von Burgunden«, erklärten sie. »Willst du ihn bitten, uns gleich zu empfangen? Denn wir haben nicht viel Zeit.«

»Ich bringe euch sogleich zu ihm.« Er befahl den Knechten, die hunnischen Reiter in ihre Herberge zu führen. Aber das erwies sich als sehr schwierig, und schließlich endete es damit, daß die Hunnen samt ihren Pferden in einem Winkel des Gartens hinter der Burg schliefen: denn die erbosten burgundischen Knechte vermochten trotz aller Mühe nicht, diesen sonderbaren Wilden begreiflich zu machen, daß sie sich in den Kammern wie anständige Menschen ins Bett zu legen hätten.

Gunther betrachtete die beiden Spielleute mit Neugier. Aber er begrüßte sie freundlich, denn er wußte, daß ihre Kunst an Etzels Hofe hochangesehen war. Die Einladung überraschte ihn nicht, denn es war unter befreundeten Fürsten Sitte, einander zu besuchen.

»Ich danke euch«, sagte er, als sie in ihre Herberge gingen. »Ich will mit meinen Brüdern und unseren Freunden sprechen. Dann sollt ihr erfahren, was wir tun werden.«

Swemmel und Werbel blieben einen Augenblick zögernd stehen. Dann wandte sich Swemmel an Hagen. »Herr Hagen«, sprach er höflich, »die Königin hat uns besonders aufgetragen, dir zu sagen, daß du gewiß mitreiten mögest nach Etzelburg, da du den Weg gut kennst und sie auch ihren Oheim gerne wiedersehen will.«

Er brach erschrocken ab, so laut und grimmig hatte Hagen aufgelacht. »Das kann ich mir denken!« schrie er. »Freilich will mich Kriemhild wiedersehen!« Er lachte noch immer, daß es ihn schüttelte.

Eilig entließ Gunther die Hunnen, die Hagen erstaunt ansahen und nicht begriffen, was in ihn gefahren war.

»Höre, Oheim«, sagte Giselher zornig, als sie draußen waren, »wir wissen, daß du unserer Schwester Kriemhild übel gesinnt bist. Aber einmal muß alles ein Ende haben. Und du solltest froh sein, wenn sie dir vergeben hat!«

»Ich merke, die Burgunden sind noch immer nicht klüger geworden«, knurrte Hagen wütend. „Ich sage dir, du redest wie ein einfältiger Knabe! Sie hat mir nicht vergeben und wird es niemals tun!«

»Wir sind in Frieden und Freundschaft auseinandergegangen«, sprach Gernot unmutig. »Und wenn Kriemhild und Etzel uns jetzt einladen, so werden wir hinfahren. Wer nicht will, der mag daheim bleiben!«

Hagen sah aus, als hätte er Lust, sie alle niederzuschlagen. »So lauft meinetwegen dem Teufel in den Rachen!« brüllte er. In diesem Augenblick schob der dicke Küchenmeister Rumold seinen Bauch zur Tür herein und hörte verwundert das zornige Geschrei. Gleich darauf kamen Ortwin, Dankwart und Graf Gere.

Rumold schüttelte zweifelnd den mächtigen Schädel, als er hörte, daß die Könige zu den Hunnen fahren wollten.

»Davon muß ich abraten«, sprach er bedenklich. »So eine

Reise ist beschwerlich und birgt allerlei Gefahr. Und wer soll für euch geziemend sorgen, und was wollt ihr denn essen und trinken? Wer weiß auch, wie es uns bei den wilden Hunnen ergeht! Ich habe sagen hören, sie essen das Fleisch roh, wenn sie es auf ihren Gäulen mürbegeritten haben. Nein, ich bleibe daheim in Worms, weil ich noch länger leben will, und rate euch, das gleiche zu tun!«

Auch Ortwin zeigte keine Lust zu dieser Fahrt. »Was soll ich denn bei den Hunnen? Meinetwegen mag Etzel bleiben, wo er ist! Ich bleibe hier.«

Gunther wurde zornig. »So reiten wir allein, wenn ihr nicht wollt! Wir können König Etzel nicht beleidigen. Und wenn Kriemhild ihre Mutter und uns zu sehen wünscht, so wollen wir ihr den Willen tun. Ich bin freilich neugierig auf das Liedlein, das man singen wird von den burgundischen Recken, die ihre Könige allein zu den Hunnen fahren ließen.«

Hagen ballte die Fäuste. »Gut!« sagte er heiser. »Ihr wißt genau, daß ich mit euch fahren werde! Die Tronjer haben den Burgundenkönigen immer gedient bis zum Tode. So mag meinetwegen das Ende kommen!«

Er richtete sich auf. Sein Grimm schien plötzlich verflogen, da die Entscheidung gefallen war. »Aber wir wollen unsere Haut so teuer wie möglich verkaufen«, fuhr er ganz ruhig fort. »Mit den tapfersten Recken, mit den besten Waffen und Rüstungen wollen wir zu den Hunnen reiten. Und dann – wehe denen, die Böses gegen uns im Schilde führen!« Er stockte und starrte einen Augenblick vor sich nieder. »Und wehe uns!« fügte er leise hinzu, daß es niemand hörte.

9

In den folgenden Tagen sammelten Hagen und Dankwart, Markgraf Gere und Volker, der Spielmann, die
besten Recken des Landes um sich, die an der Fahrt teil-
nehmen sollten.

Die hunnischen Boten ritten mit Giselher nach dem
Kloster Lorch, um Frau Ute die Einladung ihrer Tochter
zu überbringen. Die alte Königin freute sich wohl und
ließ sich viel erzählen, aber sie sagte: »Ich bin zu alt für
diese weite Reise. Allein es tut mir wohl, zu wissen, daß
Kriemhild nun doch noch glücklich geworden ist.« So
glaubte Frau Ute.

Swemmel und Werbel nahmen Abschied von den Burgunden und ritten den Weg zurück, den sie gekommen waren,
so schnell, wie nur Hunnen reiten und Hunnengäule
laufen konnten.

Bald darauf, als alles vorbereitet war, brachen auch die
Burgunden auf. Auf dem weiten, freien Felde vor den
Mauern von Worms sammelten sie sich. Es sah aus, als
hätte Hagen zu einer Heerfahrt in Feindesland aufge-
rufen. Ritter und Knechte waren schwer bewaffnet, die
Pferde wieherten und stampften aufgeregt, als sollte es in
die Schlacht gehen. Laute Befehle erschollen über die
Köpfe hinweg, irgendwoher aus dem Durcheinander
tönte manchmal das Gefiedel der Spielleute und das
schrille Pfeifen der Flöten.

Allmählich kam Ordnung in das Gewimmel. Die Könige
standen vor ihrem Zelt, und die Knechte warteten schon
mit den gesattelten Pferden. Es war alles getan, was nötig
war, das Land gesichert unter dem Schutz der zurück-
bleibenden burgundischen Ritter, Brunhild und ihr Sohn
Siegfried wohlgeborgen in den starken Mauern der
Königsburg und in der Obhut treuer Recken.

Plötzlich ging eine Welle von Unruhe durch das Kriegsvolk. Eine Gasse öffnete sich zwischen den Reitern.

Gunthers Blick wurde scharf. Eine Frau und ein Knabe ritten auf das Zelt zu, begleitet von einem einzigen Kämmerer.

»Die Königin!« murmelte da und dort eine erstaunte Stimme. Schnell ging ihr Gunther entgegen. Was suchte Brunhild noch hier? Er hatte schon gestern abend Abschied von ihr und seinem Sohn genommen, und sie kümmerte sich sonst wahrhaftig nicht allzuviel um ihn!

Jetzt hielt sie ihr Pferd vor ihm an. Aber als er sie herunterheben wollte, schüttelte sie den Kopf. Ihr bleiches Gesicht schien ihm so starr, daß er erschrak.

»Was hast du?« fragte er leise. »Warum bist du gekommen?« Sie beugte sich herab, ihre Hand klammerte sich um den Zügel.

»Ich muß dir etwas sagen«, flüsterte sie, daß nur er es hören konnte. »Du wirst nie zurückkehren, wenn du jetzt zu den Hunnen fährst. Ich weiß es! Denn einmal kommt die Rache über uns alle! Und das wird bald sein. Ich weiß es!« wiederholte sie noch einmal, und ein Schauer lief über ihren Leib.

Gunther runzelte die Stirne. Nahmen Zwietracht und Hader unter Frauen nie ein Ende? Er wollte nun endlich Ruhe haben vor diesem alten Streit!

»Ich sage dir, du tust Kriemhild unrecht«, sagte er heftig. »Sei ohne Sorge, wir kommen alle gesund wieder zurück!« Sie sah ihn nur einen Augenblick schweigend an. Dann wandte sie ihr Pferd und ergriff die Zügel des Knaben. So ritt sie fort, zur Stadt zurück, ohne sich noch einmal umzublicken.

Gunther starrte ihr nach. Dann drehte er sich mit einem zornigen Ruck um. Ach was, man durfte nicht zuviel auf Frauen hören! Sie hatten immer allerlei Ängste und Kümmernisse.

Er ging zu seinem Pferde. »Wir reiten!« klang seine Stimme laut über den Platz. Er sprang in den Sattel.

Da begannen die Flöten ihr fröhliches Spiel, die Fiedeln sangen, Waffen klirrten, dumpf klang der Hufschlag der ungeduldigen Pferde. Langsam kam die Reiterschar in Bewegung. Hagen ritt an der Spitze auf seinem großen schwarzen Hengst. Er hob sich hoch im Sattel und blickte zurück.

Da fuhren sie also aus zu diesem letzten Abenteuer, die Burgunden! Es war wahrhaftig seltsam genug, zu denken, daß er selbst zum wenigsten geradewegs dem Tod in die ausgestreckten Arme ritt! Gott mochte wissen, wie es für sie endete! Sie hatten es nicht anders gewollt, und ihm blieb nur übrig, für sie zu sterben, wie die Tronjer immer für ihre Könige gestorben waren. Ei, wie die Fiedeln sangen, wie zum Tanze! Zu einem Totentanz sangen sie. Aber niemand wußte es, außer ihm! –

Auf den Fährschiffen setzten sie über den Rhein, und dann ging es die Heerstraße entlang gegen den Main zu und durch Ostfranken an die Donau hinab.

Am zwölften Tage kam die Schar am Ufer an und hielt Rast. Hagen wußte, daß in der Nähe eine Fähre über den Strom führte, und ritt allein ein Stück flußabwärts, um sie zu suchen. Sie wollten hier die Donau überqueren: denn jenseits begann schon das Hunnenreich.

Während Hagen langsam fürbaß ritt, hörte er Wasser rieseln, und gleich darauf kam er an ein kleines Bächlein, das sich zwischen allerlei Gebüsch durchwand und schließlich im Uferdickicht verschwand.

Er hielt verwundert an. Vor ihm befand sich eine Wand aus Röhricht und allerlei Wasserpflanzen, und dahinter vernahm er Geplätscher und lachende Frauenstimmen. Vorsichtig stieg er ab und schlich näher. Da sah er zwischen den Sträuchern ein paar wunderliche Kleider liegen, die aussahen, als wären sie aus lauter schneeweißen Federn gemacht. Und als er zwischen dem Röhricht durchspähte, gewahrte er in einem kleinen Weiher drei Schwanenjungfrauen, die darin badeten. Er lachte und nahm ihre Gewänder an sich. Die drei Wasserfrauen schrien erschrocken auf, als sie es sahen: denn nun konnten sie nicht mehr aus dem Wasser heraus.

Da begannen sie den grimmigen Recken mit ihren süßen Stimmen zu bitten, er möge ihnen doch die Gewänder wiedergeben. Eine von ihnen schwamm ganz nahe zu ihm heran, und ihre goldenen Augen blickten ihn flehend an.

»Gib uns die Gewänder, Herr Hagen«, schmeichelte sie, »und ich will dir weissagen, wie es euch im Hunnenlande ergehen wird!«

»Das läßt sich hören«, nickte er. »So erzähle, was du weißt!«

Sie machte ein ernstes Gesicht. Ihr Köpfchen schaukelte ein wenig auf dem Wasser, und ihr Haar schillerte grün und golden. »Ihr werdet viel Ehre gewinnen im Hunnenland und ein fröhliches Leben haben«, sagte sie. »Du kannst mir glauben, denn ich belüge einen so tapferen Helden nicht.« Dabei sah sie so unschuldig zu ihm auf, als hätte sie wirklich die lauterste Wahrheit gesagt.

Hagen zuckte die Achseln. Wer weiß, vielleicht hatte sie recht! Diese Wasserfrauen wußten allerhand! Ihm war es gleich. Ob früher oder später . . .

»Hab Dank!« sprach er und warf ihr die Schwanengewänder zu. Da schwammen auch ihre Schwestern eilig herbei und streiften ihre seltsamen Federkleider über.

Die zweite hatte langes kohlschwarzes Haar, und ihre Augen schimmerten wie blaues Eis. Sie sah Hagen böse an.

»Dennoch hat dich meine Schwester belogen, du kühner Held«, spottete sie, »denn sie dachte, du würdest ihr die Gewänder nicht wiedergeben, wenn sie dir übel weissagte. Nun sollst du die Wahrheit hören! Keiner von euch wird je den Rhein wiedersehen, denn ihr werdet alle im Hunnenlande sterben.« Damit schwebte sie leicht über das Wasser fort, ihrer Schwester nach.

Nur die dritte war noch da. Ihr rotes Haar ringelte sich wie Feuerflämmchen um ihr Gesicht, und die grünen Augen funkelten wie Smaragde.

»Ich will dir noch etwas sagen«, zwitscherte ihr süßes Stimmlein, während sie sich langsam von ihm fortschaukelte. »Einer wird am Leben bleiben und heim-

kehren an den Rhein: Aber nicht du noch einer von deinen Königen, sondern der Kaplan, den ihr bei euch habt. Es ist sehr schade um so viele tapfere Männer!«
Dann war auch sie fort.

Hagen starrte auf die leere Wasserfläche. Er wußte nicht, woher ihm die Gewißheit kam: aber er fühlte, daß dies die Wahrheit war. Jeder Tropfen Blut in ihm schien es zu wissen. So kam also das Ende.

»Niemand, der den Nibelungenhort besitzt, wird alt«, hatte Alberich gesagt. »Und nun sind die Burgunden Nibelungenkönige!«

Mit aller Gewalt schüttelte Hagen das Grauen, das ihn lähmen wollte, ab. Nun mußte das Schicksal seinen Lauf nehmen! Denn die Burgunden würde er nicht davon abhalten können, zu Etzel zu reiten, das wußte er genau. Also ging es weiter, dem Verderben entgegen!

Etwas wie eine wilde Lust überkam ihn, eine rasende Kampfbegier, der Drang zu töten und zu zerstören, was sich ihm in den Weg stellte. Oh, es würde noch vieles geschehen, ehe sie starben! Die Burgunden und die Tronjer starben nicht in der Stille, nein, sie würden in einem Meer von Blut und Feuer untergehen, wie die alten Götter, als Walhall brannte!

Hagen ahnte nicht, auf welch furchtbare Weise seine Gedanken Wahrheit werden sollten.

Er ging zurück zu seinem Pferde. Zuerst mußte er nun den Fährmann finden, der sie über die Donau brachte.

»Warte ein wenig, Herr Hagen!« Er drehte sich um. Da sah er, daß die erste Wasserfrau zurückgekommen war und sich hinter ihm auf dem Weiher wiegte.

»Was willst du denn noch, du lügnerische Hexe? Mich kannst du nicht erschrecken, was du mir auch weissagen magst! Aber gib acht, daß ich dir nicht deinen schönen Hals umdrehe, mir ist just danach zumute!«

Ihre goldenen Augen sahen ihn gleichmütig an.

»Ich will dir nur noch einen Rat geben, damit du siehst, daß ich auch ehrlich sein kann«, sang ihre Stimme. »Du suchst den Fährmann. Er hat sein Haus jenseits am Ufer und ist ein Dienstmann des Markgrafen Gelfrat, der mit seinem Bruder Else über die Grenzlande an der Donau herrscht. Wenn ihr durch ihr Gebiet reitet, so nehmt euch wohl in acht. Sie sind stark und tapfer und Fremden nicht freundlich. Auch haben sie eine Menge streitbarer Recken. Du wirst es auch mit dem Fährmann nicht leicht haben. Biete ihm hohen Lohn und sprich bescheiden mit ihm! Denn wenn er nicht will, so läßt er dich einfach hier stehen.« Sie lächelte schlau. »Wenn er dir auf deinen Ruf nicht antwortet, so sage, du seiest Amelrich. Das ist sein Freund, der vor langer Zeit von hier fortgezogen ist und auf dessen Heimkehr er immer noch wartet.«

Ihr Federkleid rauschte leise, und gleich darauf war sie verschwunden.

Hagen ging dicht ans Ufer hinab, bis er eine freie Stelle fand. Da sah er jenseits die Hütte des Fährmannes liegen. Er wölbte beide Hände um den Mund und rief laut hinüber. Nichts regte sich. »Hol über, Ferge!« schrie Hagen zum zweiten Male, so laut er konnte. Aber alles blieb still .Er sah die große Fähre drüben angebunden liegen, aber kein Fährmann und kein Knecht zeigte sich.

»Heda, willst du deinen Freund Amelrich nicht holen?« brüllte er nun mit aller Kraft.

Da öffnete sich drüben die Tür, der riesige Fährmann stürzte heraus, hinter ihm seine Knechte. Eilig machten sie das Schiff los und begannen herüberzurudern. Aber als sie näher kamen, erkannte der Ferge, daß er betrogen worden war. Sein grobes Gesicht lief rot an vor Wut, und er tauchte mit grimmiger Hast die Ruder ein, um den unverschämten Fremdling sogleich zur Rechenschaft zu ziehen.

»Was unterstehst du dich, he?« brüllte er schon, ehe noch die Fähre ans Ufer stieß. »Dich für meinen Freund Amelrich auszugeben!«

Er rannte herüber an den Rand des Schiffes, das triefende Ruder in den riesigen Fäusten.

Hagen tat einen gewaltigen Sprung und landete dicht vor dem zornigen Mann auf den Bohlen.

»Höre, Fährmann!« redete er ihn sanftmütig an. »Du sollst mir wegen der Täuschung nicht gram sein! Das haben mir die Wasserfrauen geraten. Und du wärst sonst wohl niemals herübergekommen. Ich aber muß mit tausend Recken hinüber ins Hunnenland. Nun führe uns über die Donau, es wird dich nicht reuen! Meine Herren sind reich genug, dich fürstlich zu belohnen.«

»Ho, ho!« Der ungeschlachte Ferge lachte, daß es dröhnte. »Du gefällst mir wahrhaftig! Mit tausend Recken! Woher soll ich denn wissen, daß ihr meine Herren nicht feindlich überfallen wollt? Ich sage dir, solange ich lebe, kommt ihr nicht in Elses Land hinüber! Und nun rate ich dir, eilends von meinem Schiff herunterzugehen, sonst muß ich dir Beine machen!«

»Du wirst mit dir reden lassen«, sagte Hagen geduldig und zog einen ledernen Beutel hervor, in dem es lieblich klingelte. Aber dem Fergen mußte es doch nicht lieblich genug erscheinen: denn ehe Hagen noch ein Wort sagen konnte, hob der ungefüge Geselle sein schweres Ruder und schlug es ihm über den Kopf. Es wurde ihm schwarz vor den Augen, und seine Beine schienen ihm weich wie Butter. Ein paar Schritte taumelte er halb blind über die Bretter hin und her, und seine Hand tastete unsicher nach dem Schwerte. Dann fühlte er Balmung in seiner Faust, und im gleichen Augenblick war auch sein Kopf wieder klar. Das Schwert zuckte durch die Luft: das Haupt des Fährmannes flog an den entsetzten Knechten vorbei über die niedrige Wand der Fähre ins Wasser, und der schwere Körper stürzte rücklings hinterdrein.

»Herunter vom Schiff!« schrie Hagen die Knechte an, und sie sprangen Hals über Kopf ans Ufer und verschwanden, so schnell sie ihre Beine trugen.

Der Tronjer ergriff das Ruder und begann die Fähre mit Macht stromaufzutreiben, bis zu dem Platz, wo die Burgunden lagerten.

Gunther stand am Ufer und betrachtete ihn mit Erstaunen. »Wo hast du denn den Fährmann? Und woher kommt das Blut da auf dem Schiffe?«

»Ich weiß nicht, wo der Fährmann ist«, knurrte Hagen und warf einen mißmutigen Blick auf den roten Fleck zu seinen Füßen. »Die Fähre war an eine Weide gebunden, und da habe ich sie genommen. Nun aber schnell! Ich will euer Ferge sein, und ihr werdet sehen, daß ihr keinen besseren finden könnt!«

Er schickte einen Knecht hinab zum Weiher, sein Pferd zu holen. Inzwischen begannen sich Ritter und Kriegsvolk schon einzuschiffen. Die Pferde ließ man nebenher schwimmen und hielt sie am Zügel fest. So fuhr Hagen hin und her über den Strom, die burgundischen Knechte mußten fleißig rudern, und bald schwamm auch die letzte Fähre über das Wasser. Darauf befand sich auch Gunthers Burgkaplan, den der König gebeten hatte, mit ins Hunnenland zu fahren, damit er ihnen die Messe lese.

Hagen hatte ihn schon eine Weile nachdenklich von der Seite angesehen. Es ärgerte ihn, daß der Priester als einziger heimkehren sollte an den Rhein, wenn die Wasserfrauen die Wahrheit gesagt hatten.

Plötzlich leuchtete sein Auge böse auf. »Ich werde dafür sorgen, daß sie nicht recht behalten«, dachte er.

Im nächsten Augenblick stand er hinter dem Kaplan. Er ergriff den Priester am Kragen seines geistlichen Gewandes, hob ihn hoch und warf ihn über die Brüstung ins Wasser.

Die Kriegsleute sahen es mit stockendem Atem. Aber keiner wagte dem Kaplan zu Hilfe zu kommen. Niemand begriff, was in Hagen gefahren war.

Eine kurze Weile hielt den Priester sein weites Gewand über Wasser. Er versuchte den Rand des Schiffes zu fassen, aber Hagen stieß ihn zurück.

»Schwimme nur!« schrie er. »Du kannst ja nicht ertrinken, denn die Nixen haben mir gesagt, du würdest allein an den Rhein heimkehren!«

Der Kaplan aber konnte nicht schwimmen. Dennoch wandte er sich nach dem Ufer zurück und versuchte sich durch die Wellen zu kämpfen. Sein Gewand sog sich mit Wasser voll und zog ihn immer tiefer hinab. Er ruderte verzweifelt mit den Armen, und es gelang ihm, in die Nähe des Ufers zu kommen. Aber nun sah nur mehr sein Kopf aus dem Wasser. Dann verschwand er. Hagen stieß einen Schrei voll wilden Triumphes aus. Aber er erstickte ihm in der Kehle: denn drüben war der Priester wieder aufgetaucht, er mußte Grund unter den Füßen gefunden haben. Langsam hob sich seine Gestalt aus dem Wasser, immer höher, und nun sahen sie ihn mühsam zum Strand hinaufsteigen. Dort wandte er sich um und blickte nach der Fähre herüber. Dann schlug er ein Kreuz und begann mit müden Schritten stromaufwärts zu wandern, den Weg zurück, den sie gekommen waren.

Auf dem Schiffe herrschte ein beklommenes Schweigen. Die Kriegsknechte warfen scheue Blicke auf Hagen. Er war ihnen unheimlich mit seinem dunklen Gesicht, in dem die Narbe wie Feuer brannte. Und unheimlich schien ihnen alles, was geschehen war.

Als sie am anderen Ufer anlegten, überschütteten die Könige Hagen mit Fragen und Vorwürfen. Sie hatten alles mitangesehen und nichts verstanden. Hagen gab keine Antwort. Er wartete, bis alle am Strand waren. Dann zog er Balmung aus der Scheide und begann die Fähre zu zertrümmern. Die Stücke stieß er in den Strom hinaus. Sie betrachteten ihn mit Entsetzen, denn sie meinten, Wahnsinn müßte ihn befallen haben. Sein Bruder Dankwart sprang zu ihm hinab und packte ihn am Arm.

»Wozu tust du denn das, um Gottes willen?« rief er. Hagen schüttelte ihn ab und stieß mit dem Fuße den letzten Balken des Floßes fort.

Dann wandte er sich zu den anderen zurück. »Weil wir es nicht mehr brauchen werden«, sagte er hart. »Ich habe eine üble Botschaft für euch: Die Wasserfrauen haben

mir geweissagt, daß niemand von uns, außer der Kaplan, den Rhein wiedersehen wird. Darum wollte ich ihn ins Wasser werfen, um zu sehen, ob sie wohl gelogen haben. Aber nun ist er dennoch auf der Heimfahrt nach Worms!«
Die es hörten, starrten ihn zuerst wortlos an. Dann begriffen sie. Da und dort verlor ein Gesicht die Farbe. Die Nachricht lief von Mund zu Mund, von Schar zu Schar.
Sie machten betretene Gesichter, sie schüttelten die Köpfe, manche lachten über den Spruch der Wasserfrauen; andere meinten, es könnte doch wahr sein.
Die Könige standen mit Hagen, Dankwart und Volker abseits. Gunther war zornig und besorgt zugleich. »Bist du ein altes Weib geworden, Oheim?« schalt er. »Schämst du dich nicht deines heidnischen Aberglaubens?«
Auch Gernot und Giselher machten ihm Vorwürfe. »Nun hast du unseren Recken die gute Laune verdorben und das Kriegsvolk scheu gemacht!«
Volker hatte ernsthaft zugehört, ohne etwas zu sagen. Jetzt wandte er sich Hagen zu.
»Was immer geschehen mag, ich bin dein treuer Geselle«, sprach er.
Hagen drückte stumm seine Hand.
»Noch etwas müßt ihr wissen«, sagte er dann. »Ich habe den Fergen erschlagen, weil er uns nicht überführen wollte. Er war ein Dienstmann der Markgrafen Gelfrat und Else, in deren Land wir sind. Wir müssen darauf gefaßt sein, daß sie uns verfolgen: denn sie werden von seinem Tode durch seine Knechte erfahren. Nun aber wollen wir reiten!«
Sie ritten den ganzen Tag, bis es dunkel wurde. Hagen und Dankwart bildeten mit sechzig ihrer eigenen Leute die Nachhut.
Tagsüber blieb alles ruhig, und sie bekamen keinen Bewaffneten zu Gesicht.
Als es dämmerte, zogen sie durch einen lichten Forst, Hagen und Dankwart mit ihrer Schar in kurzem Abstand hinter dem Troß. Der Boden ringsum war mit Moos und

Gras bewachsen, die Bäume standen weit auseinander, der Weg selbst war weich und erdig.

»Ich höre Hufschlag«, sagte Dankwart plötzlich.

Sie hielten an, während der große Zug vor ihnen weiterritt. Nun hörten sie es alle. Hinter ihnen kam eine Schar von Reitern. Der weiche Boden dämpfte das Geräusch der Hufe, aber im Sternenlicht blinkte bald da, bald dort ein Helm oder ein Harnisch auf, verstreut glitten schwarze Schatten seitwärts zwischen den Bäumen heran. Auf der Straße näherte sich ein dichter Haufe. Hagen und Dankwart wandten ihre Pferde zurück und ritten ihnen entgegen, gefolgt von ihren Mannen.

Dann hielten sie im Dunkeln voreinander. Hüben und drüben lagen viele Hände am Schwertknauf.

»Wer seid ihr?« fragte Hagen.

Ihm gegenüber hielt ein riesiger Recke. »Das wollen wir euch fragen«, antwortete er barsch, »denn dies ist unser Land! Uns ist heute früh der Ferge erschlagen worden, der unser Dienstmann war. Nun suchen wir seinen Mörder!«

»Ich leugne nicht, daß ich ihn getötet habe«, entgegnete Hagen trotzig. »Er griff mich an, und hätte ich mich nicht gewehrt, so wäre ich eben von ihm erschlagen worden!«

»So bist du Hagen!« sprach der fremde Recke zornig. »Das trifft sich gut, denn mein Bruder Else und ich sind ausgezogen, dich zu suchen. Nun sollst du für den Tod des Fährmanns büßen!«

Hagen hatte gerade noch Zeit, zu denken, daß dies Markgraf Gelfrat war – da flog auch schon mit einem riesigen Satz Gelfrats Pferd heran –, ein furchtbarer Speerstoß traf ihn und schleuderte ihn aus dem Sattel, daß ihm Hören und Sehen verging. Dankwart rannte gegen Graf Else an, und rings um sie war im nächsten Augenblick ein wildes Getümmel im Gange.

Hagen raffte sich auf. Sein Schild war geborsten und nutzlos geworden. Er warf ihn fort und riß Balmung heraus. Gelfrat war vom Pferde gesprungen. Mit mörderischen Hieben begann er auf Hagen einzuschlagen. Und da dieser keinen Schild mehr hatte, erging es ihm sehr übel. Bald klaffte seine Rüstung an allen Ecken, und das Blut sickerte durch die zerhauenen Ringe. Unter dem Helm rann ihm der Schweiß über das Gesicht. Er fühlte, wie sein Arm erlahmte, und wußte, daß er nicht mehr lange kämpfen konnte. Da rief er Dankwart an. Der erkannte seine Bedrängnis, riß sein Pferd zur Seite und führte einen furchtbaren Hieb gegen Gelfrat, der dem Markgrafen zwischen Halsberge und Brünne tief in die Brust fuhr. Wie vom Blitz getroffen, stürzte er nieder. Sein Bruder Else, aus vielen Wunden blutend, vermochte ihn nicht mehr zu rächen. Er wandte sich mit seinen Leuten zur Flucht.

Hagen lehnte keuchend an einem Baum. Er wußte, daß ihm der Tod diesmal sehr nahe gewesen war. Sie mußten sich eine kurze Rast gönnen, ehe sie wieder zu Pferde stiegen und dem großen Zug folgten, der schon weit voraus war. Schweigend und müde ritten sie hinterdrein, als sie ihn endlich eingeholt hatten.

Allmählich erloschen die Sterne, der Morgen kam, und die Sonne stieg hinter den Bergen auf. Da ließ Gunther halten: Denn man wollte noch einmal Rast machen. Er rief nach Hagen, um mit ihm über den weiteren Weg zu reden. Als der Oheim vor ihm erschien, betrachtete er ihn verwundert und entsetzt. »Wie siehst du denn aus?« fragte er und musterte den blutbefleckten Harnisch. »Wer hat dich denn so zugerichtet?«

»Markgraf Gelfrat«, antwortete Hagen mürrisch, »aber dafür ist er nun tot, und ich lebe noch. Freilich – wenn mein Bruder nicht gewesen wäre . . .« Und er erzählte, was sich in der Nacht zugetragen hatte.

Sie ließen sich die Wunden verbinden und schliefen, wohlbewacht, an diesem Tag viele Stunden lang im weichen Gras. Dann ging es weiter nach Passau, wo sie zu einem kurzen Besuch bei Bischof Pilgrim einkehrten, und endlich kamen sie in Rüdigers Land.

Ein Bote wurde an den Markgrafen von Bechelaren vorausgesandt, die Gäste anzukündigen.

Wohl freute sich Rüdiger, die Burgunden wiederzusehen. Aber er vermochte eine große Sorge nicht loszuwerden. In den vergangenen Jahren seit Etzels und Kriemhilds Hochzeit hatte er viel am Hunnenhofe gelebt und allerlei gesehen und gehört, was ihm nicht gefiel und sehr gefährlich schien.

Die Königin konnte Siegfried nicht vergessen! Es war wie eine Krankheit, die an ihr zehrte. Sie haßte Hagen, sie haßte Gunther. Warum hatte sie sie eingeladen?

Bekümmert nahm er von Gotlinde und seiner Tochter Abschied, um den Burgunden entgegenzureiten. Aber als er Dietlinde ansah, lächelte er und strich ihr zärtlich über die Wangen. Sie glühte vor Aufregung. Drei Könige müßte sie höfisch begrüßen, hatte der Vater gesagt: Gunther, Gernot und Giselher. »Und auch Hagen, Dankwart und Volker müßt ihr mit einem Kuß empfangen, denn sie sind sehr vornehme Recken«, hatte er hinzugefügt.

Der Tag verging ihr sehr langsam. Endlich konnte man sich zum Empfang der Gäste schmücken; dann geisterte die kleine Markgräfin durch die weiten Räume der Burg wie ein unruhiges Gespenstlein in einem prächtigen Gewand aus starrer Seide mit viel Gold bestickt und sah so fein und zierlich aus, daß die Mägde sich nicht satt sehen konnten an ihrer jungen Herrin.

Als gegen Abend die Hörner von den Türmen die Ankunft der Gäste verkündeten, stand sie neben ihrer Mutter unter dem Portal und empfing die Herren, genau wie es ihre Pflicht war. Freilich klopfte ihr das Herz vor Angst, etwas falsch zu machen: denn die höfische Sitte war streng. Sie küßte Gunther und Gernot, sie vergaß beinahe, Giselher zu küssen, als sie seine strahlenden Augen sah, die sie so bewundernd anblickten. Dann stand Hagen vor ihr. Dietlinde zuckte zusammen. Oh, dieser finstere Recke, wie sollte sie ihn küssen? Es war kein Platz in seinem Gesicht! Der schwarze Bart starrte einen so feindlich an, und da war die furchtbare Narbe – und selbst das heilgebliebene Auge blickte düster und unheimlich. Rüdiger sah seine Tochter mahnend an. Da nahm sie allen Mut zusammen, hob sich auf die Fußspitzen und hauchte einen schnellen Kuß auf Hagens Wange. Aufatmend wandte sie sich Dankwart und Volker zu. Gottlob, sie sahen freundlich aus!

Dann ergriff sie schnell Giselhers Hand, denn es war ihre Aufgabe, ihn in den Rittersaal zu führen, wohin ihre Mutter mit König Gunther und ihr Vater mit Gernot schon vorausgingen.

Drei fröhliche Tage vergingen für die Gäste in der Burg des Markgrafen. Niemand schien mehr an die düstere Weissagung der Wasserfrauen zu glauben.

Für den jungen Giselher war es eine wundersame Zeit. Er meinte, es könnte nichts Lieblicheres auf der Welt geben als Dietlinde, und er mochte nicht daran denken, wieder fortzureiten und sie zurückzulassen.

Am letzten Abend, ehe sie nach der Etzelburg aufbrachen, saßen die Recken beim Wein im Rittersaale beisammen. In froher Laune gingen allerlei Reden hin und her.

»Du bist ein glücklicher Mann, Markgraf Rüdiger«, sprach Volker, »du hast die beste Frau, die du dir wünschen kannst, und deine Tochter – bei Gott, wenn ich eine Krone zu vergeben hätte, würde ich sie Dietlinde anbieten!«

Graf Rüdiger wandte sich zu ihm mit seinem guten, ernsten Lächeln. »Du vergißt, daß ich nur ein Lehensmann Etzels bin! Wie sollte ein König um meine Tochter freien?«

»Und wenn sie arm wäre wie eine Kirchenmaus«, erhob Gernot Einspruch, »so könnte sich doch jeder Fürst glücklich preisen, der sie zur Frau bekäme.«

Gunther betrachtete nachdenklich seinen Bruder Giselher, der zu all diesen Reden geschwiegen hatte.

Plötzlich stand Hagen auf. »Ich tauge freilich nicht zum Brautwerber«, sagte er mit einem grimmigen Lachen.

»Aber mich dünkt, der König der Burgunden sollte meinen Freund Rüdiger fragen, ob er Giselher seine Tochter zur Frau geben will.« Und weil alle, die es anging, an diesem Vorschlag ihre Freude hatten, wurde die Verlobung beschlossen, und Rüdiger versprach, daß Dietlinde mit den Burgunden an den Rhein fahren sollte, wenn sie aus Etzels Land heimritten.

So schien an diesem Abend alles eitel Glück und Freude in der Burg zu Bechelaren.

Aber am Morgen hieß es Abschied nehmen. Rüdiger wollte mit seinen Recken die Burgunden nach der Etzelburg geleiten. Jeder erhielt noch ein reiches Gastgeschenk: Gunther ein prachtvolles Streitgewand, Gernot ein Schwert, das der berühmte Meister Wieland geschmiedet hatte, Dankwart ein fürstliches Gewand, Volker, der Spielmann, sechs goldene Ringe.

Hagen aber sagte: »Ich habe nur einen Wunsch: Wollt ihr mir den Schild geben, der dort an der Wand hängt? Meiner ist mir zerhauen worden!«

Die Markgräfin zuckte zusammen, und ihr freundliches Gesicht wurde traurig. »Es ist Nudungs Schild«, sagte sie leise, und ihre Augen füllten sich mit Tränen. »Aber du sollst ihn haben. Möge er dich besser beschützen als ihn!«

Nudung war ihr einziger Sohn, der mit Dietrich von Bern und den Söhnen Etzels gegen den Kaiser Ermanerich gekämpft hatte und von dem ungetreuen Wittich erschlagen worden war.

Über eine Weile standen die Frauen unter dem Portal und sahen die Recken aus dem Hofe reiten. Sie winkten noch einmal zurück, dann verschwanden sie, und die Knechte schlossen das schwere Tor. Einen Augenblick lauschte Dietlinde noch auf die Hufschläge draußen jenseits der Mauer. Dann raffte sie ihr Gewand zusammen, wandte sich um und lief den Gang hinab bis dahin, wo die Stiege auf den Turm führte. Sie flog die Treppe hinauf, riß das Pförtlein zur Turmstube auf und rannte auf den schmalen Söller hinaus, der ringsum lief. Da sah man weit ins

Land hinaus. Tief drunten auf der Straße zog die Reiter-schar. Aber es war schon zu weit, um noch jemanden zu erkennen.

Dennoch stand Dietlinde lange an der Brüstung und sah ihnen nach, wie sie kleiner und kleiner wurden und ver-schwanden.

Über ihr schmales Gesichtlein rannen unaufhörlich Tränen, ohne daß sie es gewahr wurde.

10

Allmählich ging die Reise der Burgunden ihrem Ende zu. Österreich lag hinter ihnen, das Land war flach und ein-tönig geworden, allerlei seltsames Volk zeigte sich an der Straße und starrte die fremden Ritter neugierig an. Bald da, bald dort tauchten ein paar hunnische Reiter auf, jagten an ihnen vorüber und verschwanden wieder, wie von der Erde verschluckt. Einmal trabte ein kleiner brauner Bursche auf seinem struppigen Gaul eine Weile neben ihnen her, und seine flinken Kohlenaugen muster-ten die Könige und ihre Recken aufmerksam. Rüdiger faßte ihn näher ins Auge. Er mußte den Mann irgendwo in der Etzelburg gesehen haben! Plötzlich wußte er es: Das war der Anführer von Kriemhilds hunnischer Leib-wache!

Was hatte er hier zu suchen? Rüdiger trieb sein Pferd seitwärts, auf den Hunnen zu. Aber er kam ihm nicht in die Nähe. Der Reiter beugte sich tief über den Hals seines Pferdes. Er stieß einen schrillen Schrei aus, und im gleichen Augenblick begann dieses wahnwitzige Huf-getrommel, mit dem nur Hunnengäule in höchster Eile laufen können. So schoß er davon, und sein schwarzes Haar, das auf dem Scheitel zu einem Schopf gebunden war, wehte ihm vom Kopfe wie ein Roßschweif.

Schweigsam und nachdenklich ritt Rüdiger weiter, und seine Sorge um die Burgunden wuchs.

Als vorne am Horizont die Türme und Zinnen der Etzelburg aus der Ebene aufstiegen, kam ihnen eine Reiterschaar entgegen.

»Gottlob, endlich wieder einmal ehrliche Gesichter!« rief Hagen, als er sie erkannte. »Das ist Dietrich von Bern mit seinem alten Waffenmeister Hildebrand und seinen Gesellen!« Dietrich hieß die Burgunden mit der ernsten Freundlichkeit willkommen, die ihm eigen war. Er vermochte des Lebens nicht mehr froh zu werden, seit ihm der römische Kaiser Ermanerich sein Land genommen hatte und in der furchtbaren Rabenschlacht die Blüte der gotischen Ritterschaft gefallen war. Nun lebte er als Gast am Hunnenhofe: denn Etzel hatte ihm versprochen, er werde ihm eines Tages helfen, sein Reich wiederzugewinnen.

»Freund Hagen«, sprach er, nachdem er die Könige begrüßt hatte, »ich freue mich, dich wiederzusehen, denn ich habe nicht vergessen, daß du mir in vielen Kämpfen treulich zur Seite gestanden bist. Aber dennoch wollte ich, du wärest nicht an Etzels Hof gekommen! Kriemhild weint noch immer um Siegfried. Und ich weiß, daß sie ihren hunnischen Recken viel Gold gibt, damit sie ihr zu Diensten sind.«

Hagen zuckte die Achseln. »Ich habe nun einmal Siegfried getötet! Und Kriemhild hat den Hunnenkönig geheiratet. Siegfried wird nicht wieder auferstehen, und das ist gut für uns alle!«

Dietrich schüttelte unmutig den Kopf. Es gefiel ihm nicht, daß Hagen so spöttisch redete.

»Lassen wir den Toten ruhen!« sprach er versöhnlich. »Aber Kriemhild lebt, und ich rate dir, dich vor ihr in acht zu nehmen! Nun wollen wir nach der Etzelburg reiten!« –

Zur selben Stunde stand in Kriemhilds Kemenate der Anführer der Leibwache der Königin. »Ich habe sie gesehen«, berichtete er. »Hagen ist bei ihnen: ein riesiger schwarzer Recke mit einem einzigen Auge.«

Die Königin tat einen tiefen Atemzug. Hastig streifte sie die kostbaren Armringe von den Gelenken und reichte sie dem Boten. »Da nimm! Du hast dir reichen Lohn verdient. Und nun geh! Ich lasse dich rufen, wenn ich euch brauche!«

Als sie allein war, begann sie wieder ihre ruhelose Wanderung durch das Gemach. So wanderte sie in den Nächten oft stundenlang mit hämmerndem Kopf und brennenden Augen, und ihre Mägde, die in den Kammern nebenan schliefen, horchten mit Grauen auf die Schritte, die hin und her gingen, immer hin und her, ohne Rast und Ruh.

Sie wußte nicht, wieviel Zeit vergangen war: Die Hörner, die von allen Türmen der riesigen Etzelburg riefen, schreckten sie auf. Sie begann so zu zittern, daß ihre Füße sie kaum bis ans Fenster trugen.

Da stand sie nun und sah, wie drunten die Burgunden auf den weiten Platz vor der Burg einritten. Sie konnte sie gut erkennen: da war Gunther, der mit Dietrich von Bern sprach, Gernot und Meister Hildebrand, Rüdiger von Bechelaren ritt neben Giselher und hinter ihnen – ja, das war Hagen! Sie starrte ihn an. So viele Jahre hatte sie auf ihn gewartet! Nun war er da!

Als wäre sie plötzlich aus einem Traum erwacht, fuhr die Königin empor. Sie rief nach den Mägden und ließ sich schmücken, während drunten der Platz sich mit den burgundischen Recken und ihrem Kriegsvolk füllte.

Sie hatte Etzels Marschalk befohlen, die burgundischen Knechte und alles Gesinde in einem entlegenen Saal des großen Palastes unterzubringen. Nun beobachtete sie mit Befriedigung, wie ihr Befehl ausgeführt wurde und Dankwart die Dienstleute zu der angewiesenen Herberge brachte. Denn dies alles gehörte schon zu ihrem Plan.

Gleich darauf schritt sie mit ihrem Gefolge die breite

Treppe hinab, die Burgunden zu begrüßen, die noch
drunten auf dem Hofplatz standen.

Hagen sah sie kommen.

»Da ist Kriemhild«, sagte er, »und mir scheint, sie sieht
nicht aus, als ob sie eine sonderliche Freude an uns
hätte!«

Es wurde ganz still unter den Männern. Aller Blicke
waren auf die Königin gerichtet.

Da legte Giselher seine Waffen nieder und ging ihr entgegen. Ihm schnitt es ins Herz, wie bleich und harmvoll
sie aussah. Er umarmte sie herzlich und küßte sie auf
beide Wangen.

Ihre Augen schimmerten von Tränen.

»Giselher«, murmelte sie tonlos und lehnte den Kopf an
seine Schulter wie so oft daheim in Worms, wenn er sie
in ihrem Schmerz zu trösten versuchte. »Oh, Giselher,
warum bist du nicht viel, viel früher gekommen!« Er
erschrak über ihre Worte, aber er begriff sie nicht.

»Warum hast du mich nicht gerufen?« Aber nun gab sie
keine Antwort mehr. Ihre Haltung wurde sonderbar
steif, sie machte sich aus seinen Armen los und wandte
sich ab. Giselher schien es, als hätte sie ihn schon vergessen. Sie küßte Gernot flüchtig, beinahe wie einen
fremden·Gast.

»Sei willkommen!« sprach sie zu Gunther, ohne ihm
auch nur die Hand zu reichen.

Rüdiger von Bechelaren betrachtete sie voll tiefster Sorge.
»Was ist, Königin?« fragte er leise und umschloß ihre
eiskalten Finger mit seinen warmen Händen. Sie mußte
ihn wohl nicht gehört haben: Neben ihm stand Hagen!
Entsetzt sah der Markgraf, wie sich Kriemhilds Gesicht
verzerrte.

Ohne einen einzigen Blick auf den Tronjer zu werfen,
wandte sie ihm den Rücken.

Hagen reckte seine riesige Gestalt.

»Wir hätten doch nicht ins Hunnenland kommen
sollen!« sagte er laut und hämisch hinter der Königin

her. »Bei uns am Rhein sagt man zu den Gästen ›Seid willkommen!‹ Hier aber scheint das nicht Sitte zu sein.«

Kriemhild war zusammengezuckt, als sie die verhaßte Stimme hörte. Sie blieb stehen und drehte den Kopf hochmütig über die Schultern zurück.

»Warum solltest du mir wohl willkommen sein? Hast du mir vielleicht den Nibelungenhort mitgebracht, den du mir gestohlen hast?«

Hagen lachte. »Es ist schon lange her, seit ich den Nibelungenhort zuletzt gesehen habe. Er liegt in der Tiefe des Rheins, und da wird er wohl bleiben bis an den Jüngsten Tag.«

Auf Kriemhilds blassen Lippen erschien ein Tropfen Blut, rot wie Rubin: so hatte sie vor Zorn die Zähne hineingegraben. Er wagte es noch, sie zu verhöhnen! Aber sie bezwang sich.

»Nun kommt in den Palast zu König Etzel!« Ihre Stimme klang ganz ruhig. »Aber ich bitte euch, eure Waffen hierzulassen, denn es ist nicht Sitte, gewaffnet vor dem König der Hunnen zu erscheinen.«

Aber niemand folgte ihrer Aufforderung. Erstaunt sah sie, daß selbst Giselher wieder seine Waffen ergriffen hatte.

Hagen stieß den Schild vor sich auf den Boden mit offenem Hohn. »Das ist nicht Sitte, sagst du? Aber vielleicht ist es Sitte, Gäste einzuladen, und wenn sie wehrlos sind, sie heimtückisch zu ermorden? «

Er war so dicht vor sie hingetreten, daß sein häßliches Gesicht ganz nahe über ihr war.

Sie erschrak sehr: denn sie begriff sogleich, daß irgend jemand die Burgunden gewarnt haben mußte. Aber wer? Mißtrauisch glitten ihre Augen über die Männer. Wer hatte ihren Plan durchschaut und suchte ihn zunichte zu machen?

Eine so rasende Wut überfiel sie plötzlich, daß sie kaum mehr wußte, was sie tat. Sie ballte die Fäuste, daß ihr die Nägel ins Fleisch drangen.

»Oh, wüßte ich nur, wer euch gewarnt hat – ich würde ihn mit meinen eigenen Händen töten!« stieß sie hervor.

»So wirst du mich töten müssen, Königin!« Kriemhild fuhr herum und starrte entgeistert in Dietrichs Gesicht. Hart und zornig sah er auf sie herab. »Ich habe die Burgunden gewarnt, denn ich werde nicht dulden, daß ein rachsüchtiges Weib ehrliche Recken ins Verderben stürzt, und wäre es selbst die Königin der Hunnen. Ich rate dir, daran zu denken!«

Kriemhild stockte der Atem. Was fiel dem Berner ein, sie zu schelten wie eine Dienstmagd!

Aber er achtete gar nicht auf ihren Zorn, und es war ihm gleichgültig, ob er sie beleidigte. Dietrich würde Unrecht und Verrat nie und nimmer geschehen lassen, wenn er es verhindern konnte, das wußte sie genau: denn sie hatte in diesen Jahren seine unbestechliche Gerechtigkeit kennengelernt. Man nannte ihn den edelsten Ritter des Abendlandes.

Daran mußte Kriemhild plötzlich denken, während er so zornig vor ihr stand. Und mit einem Male fühlte sie sich so verwirrt und ratlos unter seinen Augen, daß sie es nicht mehr ertragen konnte: sie wandte sich ab und ging wortlos fort nach ihrem Palast hinüber.

Von seinem Thronsaal aus, wo er die Gäste erwartete, beobachtete König Etzel diesen seltsamen Empfang, von dem er nichts verstand. Warum betrug sich Kriemhild so merkwürdig gegen ihre Verwandten? Wer war der riesige schwarze Recke, der sogar Streit mit der Königin zu haben schien? Es kam Etzel vor, er müßte ihn kennen.

Er befragte einen alten Ritter, der hinter ihm stand.

»Du kennst ihn, König«, antwortete er. »Es ist Hagen von Tronje, der in seiner Jugend als Geisel bei uns war und der später Siegfried erschlagen hat.«

Voll Neugier betrachtete Etzel den berühmten Helden, der als Knabe mit Walther von Spanien und Hildegunde am Hunnenhofe gelebt hatte.

Aber was war denn das? Drunten redete jetzt Dietrich

auf die Königin ein, und sein Gesicht war so zornig, wie ihn Etzel noch nie gesehen hatte. Und dann wandte sich Kriemhild schroff ab und schritt auf ihren Saal zu, die Treppe hinauf und verschwand samt ihrem Gefolge.

Unschlüssig standen die Recken auf dem Hofplatz beisammen. Niemand wußte, was nun geschehen sollte.

Da sah Hagen, wie Kriemhild droben an ihrem Fenster erschien und sie finsteren Blickes beobachtete. Eine teuflische Laune überkam ihn. Er winkte Volker, flüsterte ihm etwas ins Ohr, und sie gingen beide über den Hof zu einer Steinbank, die gerade gegenüber von Kriemhilds Fenster an der Mauer stand. Dort setzten sie sich nieder.

»Warte nur!« sagte Hagen, und ein Grinsen verzerrte sein Gesicht. »Sie hält es nicht lange aus, mich hier sitzen zu sehen.«

»Schau, da kommen die tapferen Hunnen wie die Mäuse aus ihren Löchern!« lachte Volker.

Rings um den riesigen Hofplatz lugten aus Türen und halbgeöffneten Pförtlein schlitzäugige Gesichter. Krummbeinige Gestalten schlichen die Mauern entlang, standen flüsternd in einer Ecke und äugten neugierig zu ihnen herüber.

Da und dort erschien ein bewaffneter Hunnenrecke und verschwand nach einem flinken Seitenblick in Kriemhilds Saal.

»Sie betrachten uns wie seltene Tiere!« grinste Hagen. »Paß auf, wie sie erschrecken!« Er tat einen raschen Griff nach dem Schwerte. Im Nu flogen die Pförtlein zu, und die Hunnen waren verschwunden, wie weggeweht.

Volker lachte laut auf. Er warf einen schnellen Blick zu Kriemhilds Fenster hinauf. Dort neben der Königin stand jetzt der kleine dunkle Bursche, den sie ihnen als Späher entgegengeschickt hatte.

»Aha, der Häuptling der Wache ist aufgetaucht! Gib acht, nun wird gleich etwas geschehen! Siehst du, sie gehen!«

Gleich darauf schwang das schwere Tor auf, das auf die

Treppe herausführte. Kriemhild erschien. Hinter ihr quoll
ein dichter Haufe bewaffneter Hunnen aus dem Palast.
Sie stand einen Augenblick still und sah zur Bank herüber. Dann kam sie mit raschen Schritten die Treppe herab und über den Platz, die Hunnenrecken hinter ihr.

»Wir wollen aufstehen«, sagte Volker leise, »denn sie ist
doch immerhin eine Königin, wenn sie uns auch nach
dem Leben trachtet.«

»Nein«, widersprach Hagen, »wir bleiben sitzen! Ihre
gelben Freunde könnten sich sonst einbilden, wir fürchten uns vor ihnen!« Breitbeinig setzte er sich zurecht und
legte sein Schwert über die Knie. So erwartete er die
Königin.

Aber dieses Schwert – es hatte einen Knauf von licht-
grünem Jaspis und einen Griff aus Gold –, Kriemhild
starrte dieses Schwert an mit weitaufgerissenen Augen:
denn sie kannte es. Es war Balmung.

Ihre Hand fuhr zum Halse: ihr war, als müßte sie ersticken. Ein stöhnender Laut kam über ihre Lippen.
Dann richtete sie sich hoch auf. Mit einem Schritt stand
sie vor Hagen.

»Du hast viel Mut, daß du es nach allem, was du mir
angetan hast, noch wagst, hierherzukommen!« Ihre
Stimme war ganz leise, aber sie jagte Volker einen
Schauder über den Rücken, und er hätte Hagen gerne
mit sich fortgezogen: denn dies alles konnte nicht gut
ausgehen, dünkte ihn.

Hagens Gesicht war steinern. Seine Hände spielten mit
dem Schwerte. »Was soll das Gerede immer wieder? Ich
leugne ja nicht, daß ich Siegfried erschlagen und den
Hort in den Rhein versenkt habe. Will es jemand an mir
rächen – nun, so mag er es tun!«

Zorn und Schmerz trieben Kriemhild die Tränen in die
Augen. Oh, sie hätte ebensogut zu einem Felsen sprechen
können, so gefühllos war er!

Sie wandte sich zurück zu den Hunnen. »Da habt ihr es
aus seinem eigenen Munde gehört! Nun denkt an euer

Versprechen, und ich will euch reichen Lohn geben. Rächt eure Königin, ihr hunnischen Recken, und tötet den Mörder Siegfrieds!«

Aber die Hunnen standen im Kreis und schwiegen und sahen einander an.

»Gold ist etwas Schönes«, murmelte einer, »aber man kann damit einen Toten nicht mehr lebendig machen. Nein, ich will lieber ohne Gold am Leben bleiben.« Und er verzog sich nach der Seite.

»Seht euch den Fiedler an«, flüsterte ein anderer, »ich möchte ihm nicht in die Hände fallen, wenn er statt mit dem Fiedelbogen mit dem Schwerte aufspielt!«

»Ich kenne Hagen«, sagte ein dritter unlustig, »niemand von uns konnte ihn je besiegen, als er noch ein junger Bursche war. Und heute ist er noch viel stärker und hat große Erfahrung im Kampfe.« — »Seine Brust ist doppelt so breit wie meine, und er überragt mich um zwei Haupteslängen! Was hätte es für mich für einen Sinn, mit ihm zu streiten?« So und ähnlich hieß es allenthalben unter den Hunnenrecken.

Kriemhild hörte diese Reden zuerst mit ungläubigem Erstaunen. Das konnte doch nicht sein, daß sie sie im Stiche ließen! Sie hatte ihnen doch so viel Gold gegeben, und sie hatten ihr furchtbare Eide geschworen, daß sie bereit seien, für sie zu sterben!

Angstvoll forschte sie in den Gesichtern ihrer Krieger: Aber die dunklen Hunnenaugen, die so unheimlich leer und ausdruckslos werden konnten, blickten an ihr vorüber.

Kriemhild wurde leichenblaß. Wo war denn überhaupt der ganz große Haufen, der mit ihr gekommen war? Kaum zwei Dutzend standen noch um sie, die anderen hatten sich still davongemacht.

»Habt ihr das Schwert gesehen?« fragte jetzt einer dieser letzten flüsternd. »Es ist Siegfrieds berühmtes Schwert Balmung. Ihm entrinnt keiner lebend!«

Damit war es zu Ende, und auch diese letzten gingen:

zögernd und ein wenig beschämt, aber sie gingen dennoch.

Da stand nun die Königin allein auf dem Hofplatz. Die Sonne brannte auf den Sand nieder, und der heiße Wind aus der Steppe zerrte an ihrem Gewande.

Sie hätte vor Scham und Demütigung in die Erde sinken mögen! Wieder ein Spiel verloren, zum zweitenmal an diesem entsetzlichen Tage. Wie hatte sie nur jemals auf das fremde Volk bauen können! Und was sollte sie nun tun? Bedeutete dies, daß ihr Plan schon zunichte gemacht war? Nein, das durfte nicht sein! Noch war ihre Macht lange nicht zu Ende! Sie mußte nur nachdenken . . . nachdenken . . . Aber ihr war mit einem Male wieder so wirr im Kopfe . . .

Sie wandte sich plötzlich um, ging eilig zurück in ihren Palast und schloß sich ein.

Als Hagen und Volker zu den andern zurückkamen, sah Dietrich von Bern sie forschend an. Aber sie schwiegen, und er fragte nicht. »Es ist Zeit, endlich König Etzel zu begrüßen«, meinte Volker. »Er wird sonst mit Recht sagen, am Rhein herrschten schlechte Sitten.«

»Ihr könnt Etzel vertrauen«, sagte Dietrich ernst. »Er ist gerecht und ehrlich. Nehmt eure Waffen!«

Sie stiegen die breite Treppe hinauf: voran schritt Dietrich mit König Gunther, Irnfried von Thüringen geleitete Gernot, Rüdiger rief Giselher an seine Seite. Hagen und Volker mochten sich auch jetzt nicht trennen. Es war eine schweigende Gemeinschaft zwischen ihnen, die nur der Tod zu enden vermochte. Haward und Iring führten die burgundischen Ritter. Dankwart und Dietrichs Neffe Wolfhart hatten sich zusammengefunden, denn sie waren beide gern fröhlich.

Die hunnischen Knechte rissen das Tor zum Thronsaal auf. Etzel erhob sich vom Hochsitz und ging seinen Gästen entgegen. Bei ihm waren sein Bruder Blödelin und die vornehmsten Hunnenhäuptlinge. Er war gekleidet wie ein Fürst des Abendlandes, und nur sein Gesicht verriet, daß seine Heimat irgendwo in den endlosen Weiten Asiens lag.

»Seid mir willkommen!« Sein Händedruck war warm und fest, und seine leuchtenden schwarzen Augen betrachteten die unbekannten Schwäger mit offener Freundlichkeit.

Ein leises Lächeln huschte über seine Züge, als er Hagen begrüßte. »Dein Haar ist ein wenig grau geworden, seit du mich verlassen hast. Aber es freut mich, daß du noch einmal zu mir zurückkehrst! Die Königin hat mich sehr daran gemahnt, euch einzuladen, und ist froh, euch endlich wiederzusehen.« Hagen warf einen schielenden Blick zu Volker hinüber.

»Ja«, sagte er gedehnt, »das hat sie mir selbst auch schon kundgetan.«

Später saßen sie alle, Hunnen und Burgunden, in Etzels herrlichem Saal, und die Knechte brachten Wein in goldenen Schalen. Er schmeckte fremdartig, süß und schwer, und mancher Recke vom Rhein dachte zuerst heimlich, daß ihm der heimische Rebensaft besser anstünde. Aber es erging ihnen seltsam: Je länger sie diesen heidnischen Wein tranken, desto mehr begann er ihnen zu gefallen. Und dieser Saal – weiß Gott, das war eine wunderliche Herrlichkeit mit all den Teppichen an den Wänden, von denen phantastische Untiere einen anglotzten, die mit so viel Kunst gestickt waren, daß man meinte, sie kröchen auf einen zu! Waffen hingen dazwischen, die ein ehrlicher Recke der Christenheit nicht gerne in die Hand genommen hätte: krumme Schwerter, die einem zuwider waren, kleine runde Schilde, die aussahen wie ein Spielzeug für Knaben. Auf Truhen standen reiche goldene Gefäße, und in der Ecke brannte in einer riesigen Schale ein winziges Feuer. Ein dünnes blaues Rauchwölklein stieg davon auf und verbreitete einen süßen Duft.

Es ging allmählich sehr fröhlich zu, und die guten Schwerter und die schweren Schilde der Burgunden lehnten vergessen hinter ihren Herren an der Wand.

Hagen und Volker saßen nebeneinander am Ende der Tafel, wo sie alles übersehen konnten.

Vor den weitgeschwungenen Bogen der Fenster wurde der Himmel silbern, langsam sank die Dämmerung, die ersten Sterne tauchten aus der Nacht.

»Es ist Zeit, schlafen zu gehen«, sagte Hagen, als die Fröhlichkeit sehr laut geworden war. »Laß diesen Teufelstrank stehen, Freund Volker, er macht einen dummen Kopf und schwere Glieder! Das ist gefährlich für uns.«

Und er erhob sich und begann zum Aufbruch zu mahnen. Aber es dauerte eine Weile, bis die weinseligen Recken dazu bereit waren. Viele hatten vergessen, daß sie in Waffen gekommen waren, und Hagen mußte mit scharfen Augen darüber wachen, daß sie nun nicht ohne Waffen fortgingen.

»Gott lasse dich lange und in Freuden leben!« sprach Gunther zu Etzel. »Aber nun erlaube uns, schlafen zu gehen, denn wir sind müde.«

Da führte man die Gäste in einen weiten Saal, darin waren viele Betten aufgeschlagen, mit schneeweißem Linnen und Decken aus kostbarer Seide und weichen Tierfellen.

Hagen betrachtete den Aufwand spöttisch.

»Die Königin der Hunnen sorgt gut für ihre Gäste! Sie meint wohl, wir wollen so gut schlafen, daß wir nimmer aufwachen!«

Aber die müden Recken kümmerten sich wenig um seine Reden, und einer nach dem andern verschwand behaglich in seinem Bett.

»So«, sagte Hagen, der neben Volker an der Tür lehnte und zugesehen hatte, »nun wollen wir beide wachen bis zum Morgen.«

Volker nickte, als verstünde sich das von selbst.

»Ja – denn es würde doch ein leichtes Spiel für Kriemhilds Mannen, müde Männer im Schlafe zu überfallen.« Er ging und holte seine Fiedel. »Ich will unseren Freunden noch ein Schlummerlied spielen.« Dann setzte er sich auf die Türschwelle und begann zu fiedeln. Es klang zuerst laut und gewaltig, als brause der Sturmwind durch die Saiten. Dann spielte er leiser und immer leiser, und es war, als hätte die Fiedel viele süße Stimmen, die zu singen anhuben. Eine Weile sangen sie, ein wenig froh, ein wenig traurig, bis sie langsam einschliefen.

Volker legte die Fiedel fort, griff nach seinem Schild und trat hinaus zu Hagen, der an der steinernen Brüstung neben der Stiege lehnte und in die Dunkelheit starrte. »Sonnwendnacht«, sagte er, ohne sich zu rühren. Volker nickte. Die Nacht war weich wie Samt und nur ein ganz leiser, lauer Wind strich um die Mauern. Schmal stand der Mond weit draußen, wo der Himmel an die Erde stieß. Ringsum ragten die Kuppeln und Türme der Etzelburg, in der alles zu schlafen schien.

Dennoch lag eine geheime Drohung in dieser wundervollen Nacht. Irgendwo lauerte eine tödliche Gefahr. Die beiden Wächter fühlten sie, wie die Tiere ihre Feinde wittern. Unablässig wanderten ihre Augen ringsum in jeden Mauerwinkel, in jeden Torbogen.

Es mochte gegen Mitternacht gehen. Da sah Volker drunten im schwarzen Schatten der Mauer ein mattes Blinken. Im gleichen Augenblick fühlte er, wie Hagens Körper neben ihm sich straffte wie ein gespannter Bogen: Er hatte es also auch gesehen! Da war es wieder: Sternenlicht, das auf Helme traf! Ein kaum hörbares Geräusch drang herauf, wie von einem Harnisch, der am Mauerwerk streifte.

»Da kommen sie!« flüsterte Volker an Hagens Ohr. Lautlos griffen sie nach ihren Schilden. Die Hand am Schwertgriff, warteten sie ohne Bewegung, ohne Laut.

Da! Geräuschlos wie eine Katze war drunten am Fuß der Stiege der erste Hunne aufgetaucht, noch einer . . . drei, vier, ein halbes Dutzend . . . oh, da kamen noch viel mehr, die tiefe Stille machte ihnen wohl Mut!

Aber als der erste, ein schlanker, behender Bursche, den Fuß auf die unterste Stufe setzte, erstarrte er: im schwachen Mondlicht hatte er die Wächter gesehen! Ein halb unterdrückter Ausruf: im Handumdrehen waren sie verschwunden wie ein Spuk.

Volker sprang vor. »So, nun wollen wir dem mörderischen Gesindel die Köpfe verdreschen und sie zu Kriemhild zurückschicken!« sagte er zornig. Aber Hagen hielt ihn zurück.

»Laß sie laufen! Wir dürfen nicht fort von hier. Leicht können, während wir sie verfolgen, andere den Saal überfallen. Aber zeigen wollen wir ihnen, daß wir sie gesehen haben, damit es die Königin erfährt.«

Er beugte sich weit über die Brüstung.

»He, ihr Feiglinge!« rief er hinter den flüchtenden Schatten her, »habt ihr gedacht, ihr könntet uns im Schlaf ermorden? Geht nur heim zu eurer Herrin und sagt ihr, daß es euch für dieses Mal mißglückt ist!« Sie horchten, aber kein Laut drang mehr herauf, und keine Bewegung war zu sehen. Die Etzelburg mochte viele geheime Schlupfwinkel haben, in denen man schnell genug verschwinden konnte.

Kriemhild stand im Dunkeln an ihrem Fenster und starrte hinüber nach dem Saal der Burgunden. Wenn sie nur gewußt hätte, was dort geschah!

Jetzt! Eine Stimme rief etwas, Hagens Stimme! Was bedeutete das? War es – war es auch diesmal mißlungen? Sie lauschte atemlos.

Ein Geräusch ließ sie herumfahren. Jemand war eingetreten. Sie konnte die schlanke Gestalt nur undeutlich erkennen, aber sie wußte, es war der Führer ihrer Leibwache.

»Nun?« fragte sie heiser.

Die Antwort kam sehr zögernd. »Herrin, du hattest uns befohlen, Hagen im Schlafe zu töten oder zu binden und dir zu bringen und den anderen Recken kein Leid anzutun. Aber Hagen schlief nicht. Er hielt mit dem Spielmann Wache vor dem Saal, in dem die Burgunden schlafen. So konnten wir es nicht tun.« Seine Stimme klang unsicher und beschämt.

Kriemhild stieß einen zornigen Ruf aus. Abermals mißglückt! Ihre Ahnung hatte sie nicht betrogen! Wie sollte sie mit solchen Helfern jemals Hagen in ihre Hände bekommen? Sie drückte die geballten Fäuste in die Augen, hinter denen ein unerträglicher Schmerz saß. »Geh!« sagte sie endlich. »Und komm mir nicht mehr unter die Augen! Oh, was seid ihr für erbärmliche Feiglinge!«

Sie achtete nicht darauf, wie der Wächter lautlos die Kemenate verließ, sie sah nicht, wie sich das frühe Morgenlicht durchs Fenster stahl. Als die Mägde hereinkamen, sie zum Kirchgang anzukleiden, bemerkten sie mit Staunen, daß die Königin überhaupt nicht zu Bett gegangen war.

Etzel betrachtete sie besorgt, während sie mit großem Gefolge zum Münster ging, und fragte sie, ob ihr etwas fehle. Sie schüttelte stumm den Kopf.

Die Burgunden warteten schon, und Etzels Gesicht wurde ernst und ein wenig unmutig, als er sah, daß sie alle in Waffen waren.

»Ich hoffe, es ist euch an meinem Hofe niemand feindlich begegnet, da ihr gewaffnet zur Kirche geht?«

»Nein, niemand«, antwortete Hagen schnell und blickte dabei Kriemhild gerade in die Augen. »Aber bei unseren Herren ist es Sitte, an hohen Festtagen in Waffen zu gehen.«

Der König wunderte sich zwar, aber er schwieg, um seine Gäste nicht zu beleidigen.

Nach dem Gottesdienste waren Kampfspiele angesagt, und Kriemhild saß mit König Etzel droben im weiten Bogenfenster des Saales, umgeben von ihren Frauen. Mit verstohlener Neugierde blickten die burgundischen Recken nach den fremdartig-schönen Gesichtern mit den großen, nachtschwarzen Augen und dem seltsamen Schmuck, der in ihrem dunklen Haar und an den Ohren glitzerte. Denn zu Kriemhilds Hofstaat gehörten nicht nur die Töchter von Etzels abendländischen Lehensmannen, sondern auch die Töchter vieler Hunnenhäuptlinge.

Aber es blieb nicht viel Zeit zum Schauen, denn die hunnischen Recken brannten vor Begier, sich mit den Burgunden im Kampf zu versuchen und ihre Reitkünste zu zeigen.

Auch Dietrichs und Rüdigers Mannen stiegen zu Pferde und meinten, nun sollte es ein fröhliches Spiel geben. Aber Dietrich schüttelte den Kopf, als er sie kommen sah, sprach ein paar Worte mit Rüdiger, und beide verboten ihren enttäuschten Recken die Teilnahme an den Kämpfen: Denn sie trauten dem Frieden nicht und fürchteten, es könnte jählings aus dem Spiel Ernst werden.

Unterdessen hatten die Kämpfe schon begonnen, und immer neue Scharen ritten heran. Landgraf Irnfried mit den thüringischen Rittern, Haward mit seinen Dänen, Hornboge, Ramung, der Walachenherzog, Schrautan und Gibich. Wie eine Horde geharnischter Teufel flogen Blödelins Mannen über den Kampfplatz, ihre Pferde schienen Menschenverstand zu haben, und sie selber waren geschmeidig wie wilde Katzen.

Sie machten selbst den Burgunden zu schaffen, die ihnen wohl an Kraft überlegen waren, aber nicht so behend wie sie.

Kriemhild sah ihnen gespannt zu: vielleicht, vielleicht konnte sie Blödelin überreden . . . Er war tapfer und seine Leute auserlesene Krieger!

Jetzt gab Gunther den Burgunden das Zeichen zum Aufhören, denn Hagen hatte ihm gesagt: »Sie sollen sich nicht müde kämpfen, wer weiß, ob sie ihre Kraft nicht heute noch brauchen werden!«

In diesem Augenblick sprengte noch ein Hunnenfürst heran. Er war so prächtig aufgeputzt, daß ihn die Burgunden verwundert betrachteten, als er sein Pferd prahlerisch unter den Fenstern des Thronsaales tummelte. Herrisch rief er ihnen zu, wer denn mit ihm kämpfen wolle, aber nur ein ebenbürtiger Gegner möge es wagen!

»Sieh dir den aufgeblasenen Burschen an!« sagte Volker zornig zu Hagen, der neben ihm hielt. »Er sieht aus wie ein Gaukler und nicht wie ein ehrlicher Ritter! Ich muß ihn vom Pferde werfen!« Schon lenkte er sein Roß dem Hunnen entgegen. Mit eingelegtem Ger stürmten sie los.

Niemand wußte später genau, wie es geschehen war: Volkers Ger traf nicht den Schild des Hunnen, sondern drang ihm unter dem Rand tief in den Leib. Er stürzte seitwärts vom Rosse, und im Nu färbte sich der Sand um ihn rot. Eine Totenstille trat ein. Aber im nächsten Augenblick brachen die Hunnen in ein tobendes Gebrüll aus und griffen zu den Waffen.

Ein furchtbares Getümmel entstand. Hagen spornte sein Pferd. Wer ihm im Wege stand, wurde zur Seite gedrängt oder niedergeritten. Gleich darauf hielt er neben Volker, Balmung in der Faust. Gunther, Gernot und Giselher sprengten heran, mit ihnen die burgundischen Ritter.

Kriemhild und Etzel waren aufgesprungen.

Vielleicht, hoffte die Königin, gibt es nun Kampf, und jemand tötet Hagen! Aber schon sah sie, wie sich die Burgunden alle zusammengeschlossen hatten, und ihre Hoffnung schwand. »So wird es immer sein«, dachte sie erbittert, »immer werden sie füreinander kämpfen, keiner wird den andern im Stiche lassen. Ich werde Hagen niemals in die Hände bekommen, wenn ich ihn nicht von den anderen trennen kann! Aber wie? Wie denn nur?«

Etzel war in höchster Eile auf den Platz hinuntergestiegen. Er riß dem nächsten, der da stand, sein Schwert aus der Hand und begann sich einen Weg durch die wütenden Hunnen zu bahnen.

»Frieden für meine Gäste! Wehe jedem, der ihnen ein Haar krümmt: Ich lasse ihn sofort hängen! Ich habe genau gesehen, daß Volker unseren Freund nicht mit Absicht getötet hat, sondern daß sein Pferd strauchelte!

Steckt eure Schwerter ein. Das Mahl ist bereit, und wir wollen in Ruhe essen!«

Sie gehorchten ungern und murrend. Und als sie zum Thronsaal gingen, behielten nicht nur die Burgunden, sondern auch die Hunnen ihre Waffen bei sich.

Etzel sah es mit Zorn, aber er ließ es geschehen.

Es dauerte eine Weile, bis alle ihrem Rang gemäß ihre Plätze eingenommen hatten.

Unterdessen stand Kriemhild neben Dietrich und Meister Hildebrand. Und weil sie an nichts anderes mehr denken mochte, begann sie sogleich wieder davon zu reden, daß Hagen den Mord an Siegfried noch immer nicht gesühnt habe.

Meister Hildebrands bärtiges Gesicht wurde finster. »Wer den Burgunden ein Leid antun will, der muß es ohne mich tun«, sagte er abweisend.

»Den Burgunden soll nichts geschehen!« widersprach sie schnell. »Nur Hagen sollt ihr von den anderen trennen und mir übergeben!«

Dietrich fuhr auf. »Was verlangst du von mir, Königin? Hagen ist mein alter Kampfgenosse, und die Burgunden sind auf Treu und Glauben an Etzels Hof gekommen. Ich habe mit deiner Rache nichts zu tun!«

Wortlos wandte sich Kriemhild ab: Nein, von den Bernern hatte sie nichts zu erwarten. In diesem Augenblick betrat Blödelin den Saal. Ihre Augen leuchteten auf: Er mußte ihr helfen!

Sie rief ihn an ihre Seite. Er war noch sehr zornig über den Tod des Hunnenfürsten und über die Burgunden. Schlau schürte die Königin seinen Grimm und versprach ihm eine Markgrafschaft und eine schöne Frau ihres Hofstaates, die er liebte, wenn er ihr Hagen in die Hände liefern wollte.

Blödelin zögerte. »Sie stehen unter Etzels Schutz.«

»Ich werde dafür sorgen, daß Etzel dir nicht zürnt«, verhieß sie ihm.

Und sie stellte ihm alles so lockend und eindringlich dar

und klagte ihm so bitter ihr großes Leid, daß es ihm wirklich schien, er müßte es rächen. So sagte er endlich: »Ich will es tun, und sollte es mich auch mein Leben kosten.« Damit verließ er sie.

Die Königin blickte ihm nach, wie er zu seinen Recken ging, ein paar Worte sprach und mit ihnen den Saal verließ. Ein tiefer Atemzug hob ihre Brust: Nun würde etwas geschehen! Sie kannte Blödelin. Wenn er sich etwas vorgenommen hatte, so handelte er ohne Zögern, und er würde nicht ablassen, ehe er es erreichte – oder tot war.

Sie schauderte zusammen, und einen Augenblick schien ihr, sie müßte ihn zurückrufen. Aber sie schüttelte das Grauen ab, ging zum Tisch hinüber und setzte sich neben Etzel.

Es wurde kein fröhliches Mahl trotz der herrlichen Speisen und großer Mengen Weines. Feindschaft schwelte wie ein heimliches unterirdisches Feuer zwischen den Hunnen und den Gästen. Etzel beobachtete es mit Besorgnis, aber dennoch vertraute er auf seine Macht, die wohl imstande sein würde, den Frieden zu erhalten.

Als sie gegessen hatten, ließ er sein Söhnlein Ortlieb in den Saal bringen, stellte es den burgundischen Oheimen vor und sprach: »Ich habe eine Bitte an euch! Wenn ihr heimfahrt an den Rhein, so will ich euch meinen Sohn mitgeben, damit er bei euch ritterliche Zucht lerne. Denn er soll einst über ein großes Reich herrschen.«

Hagen, der auch am Tische der Könige saß, betrachtete den Knaben, der seiner Mutter glich.

»Die Zucht bei uns daheim möchte ihm freilich gut tun«, sagte er laut und spöttisch, »denn er scheint mir schwach und verweichlicht zu sein. Aber ich werde gewiß nicht bei ihm zu Hofe gehen.«

Eisiges Schweigen folgte seinen Worten. Etzels Gesicht war ganz dunkel geworden, alle Freundlichkeit wie fortgewischt. Es war fremd und feindlich.

Aber Etzel hatte ebensoviel Gewalt über sich selbst wie über andere Menschen. So blieb es noch einmal ruhig.

I I

Blödelin hatte seinen Recken gesagt: »Wir werden gegen die Burgunden kämpfen. Die Königin will es. Gebt Befehl, daß alle unsere Krieger in den Herbergen der Burg sich bereit halten. Zuerst müssen wir die Knechte der Fremdlinge aus dem Wege räumen, damit sie ihren Herren nicht mehr zu Hilfe kommen können!«

Dankwart, der bei den Knechten geblieben war, wunderte sich, als er einen großen Haufen Hunnen auf den Saal zukommen sah. Er erkannte Blödelin an der Spitze, stand höflich vom Tische auf, wo sie noch beim Mahle saßen, und ging ihnen entgegen.

Als er ihm freundlich die Hand zum Gruße bot, nahm sie der Hunnenfürst nicht. Er stieß den Schild hart vor sich auf den Boden. »Spare deinen Gruß!« sagte er hochmütig, »denn wir sind gekommen, um mit euch zu kämpfen! Die Königin verlangt Sühne für Siegfrieds Tod.« Dankwart sah ihn verwundert an.

»Wie kann die Königin von mir Sühne verlangen? Sie weiß genau, daß ich mit Siegfrieds Tod nichts zu schaffen habe.«

»So werdet ihr für deinen Bruder Hagen büßen müssen«, schnitt ihm Blödelin schroff die Rede ab und zog sein Schwert. Aber man nannte Dankwart nicht umsonst »den Schnellen«. Und einen ganz kurzen Augenblick früher sauste seine Klinge durch die Luft, und Blödelins behelmtes Haupt fiel zu Boden. Ein furchtbares Geheul brach los.

»Wehrt euch, ihr Knechte!« schrie Dankwart mit donnernder Stimme in das Getümmel und sprang in den Saal zurück. Wild drängten die Hunnen ihm nach. Viele von den Knechten hatten keine Schwerter. Da ergriffen sie Stühle und Bänke und schmetterten sie auf die Angreifer nieder. Sie hoben die schweren Tische hoch und warfen sie über die Feinde. Viele nahmen darunter ein böses Ende. Aber Blödelin hatte nicht vergebens befohlen, daß sich die Hunnenkrieger in den Herbergen bereithalten sollten: Immer neue Haufen wurden herangeführt. Wie losgelassene Teufel sprangen sie in den Saal. Ihre große Übermacht machte ihnen Mut, und der burgundischen Knechte wurden immer weniger, die noch aufrecht unter den Toten und Verwundeten standen und zu kämpfen vermochten. Sie sanken nieder, einer nach dem andern, jeder von einer wilden Meute umgeben.

Dankwart blickte zurück. Da sah er, daß er allein stand. »Wehe uns!« sprach er für sich. »Nun haben wir alle unsere treuen Knechte verloren. Ich muß Hagen und die Könige warnen! Aber ich habe nicht einmal mehr einen Boten, den ich senden könnte!« Ein paar von den Hunnen hatten es gehört. »Der Bote wirst du selber sein«, spottete einer, »wenn wir dich tot vor deines Bruders Füße legen!« Dankwarts Schwert schlug so schnell zu, daß der Mann schon tot war, als die anderen noch über seine Worte lachen wollten.

Dankwart aber hatte jetzt eine furchtbare Wut gepackt. »Ja, bei Gott, ich werde selbst der Bote sein!« schrie er, »und zwar lebend, ihr feiges Gesindel!« Er trat einen raschen Schritt zurück, um sich Luft zu schaffen. Dann sprang er mit einem Satz durch die Saaltür mitten unter die Feinde, rannte ein paar über den Haufen, und nun begann wieder seine Klinge zu sausen, hin und her, hin und her. Hunnenschwerter klangen und trommelten ihm von allen Seiten auf Schild, Helm und Harnisch, aber seine Rüstung war gut und hielt: So war er noch immer unverwundet. Dennoch rann ihm überall Blut über den Harnisch und troff von seinem Schwerte. So bahnte er sich eine Gasse, und plötzlich war eine Lücke vor ihm frei, und gegenüber lag die Stiege zu Etzels Saal. Er raste darauf zu, die Stufen hinauf.

Es war, als erschiene ein Gespenst im Saale. Halbgesprochene Worte blieben in der Kehle stecken, weitaufgerissene Augen starrten den Mann im Eingang an.

»Bruder Hagen«, rief Dankwart über die Tische, und seine Stimme keuchte noch vor Anstrengung, »du bist zu lange hier gesessen! Unterdessen hat Blödelin mit seinen Mannen uns überfallen. Ich habe ihm den Kopf dafür abgeschlagen. Aber unsere Knechte sind alle tot.«

Eine fürchterliche Stille trat ein.

Dann erhob sich Hagen.

Kriemhild kroch in ihrem Stuhl zusammen vor eisigem Entsetzen, als sie ihn ansah. Dennoch mußte sie ihn ansehen, sie konnte nicht anders. Sie fühlte: nun kam es! Aber was da kam, das war nicht mehr ihre Rache. Die war ihr aus den Händen gerissen worden. Sie hatte eine Flamme geschürt, die Hagen verbrennen sollte. Nun wurde eine Feuersbrunst daraus, die sie alle vernichten würde!

Ganz langsam stand Hagen auf.

»Nun geht es ans Ende!« murmelte er, ohne daß ihn jemand verstand. Es war, als wachse seine dunkle Gestalt zu einer riesenhaften Größe auf. Er schien plötzlich fremd unter all den anderen, so als wäre er übriggeblieben aus einer längst vergangenen Zeit, aus einer harten, grausamen Zeit. So sah er aus. Sein grauer Bart umstarrte sein Gesicht, das unbewegt war wie Stein. Keine Bitte hätte sich an dieses Gesicht herangewagt, denn ebensogut hätte man einen stürzenden Felsen um Gnade bitten oder eine Wasserflut um Erbarmen anflehen können. Er war unerbittlich wie eine Naturgewalt, ja noch schlimmer: denn er hatte den Willen, zu vernichten.

Er zog sein Schwert. »Wenn es denn ans Sterben gehen soll, so mag der junge Hunnenkönig der erste sein!«

Die hellen Augen des Knaben hatten keine Zeit mehr zu erschrecken, als die Klinge über ihm blitzte.

Sie schrien alle auf, Hunnen und Burgunden. Nur Kriemhild schrie nicht. Ihr Körper krampfte sich zusammen wie unter einer furchtbaren, fremden Gewalt. Sie öffnete den Mund, sie wollte schreien, schreien, aber es kam kein Ton über ihre Lippen. Schneeweiß saß sie da, nur ihre Augen hatten ein wildes Leben. Die Angst eines Tieres brannte darin, das von Feinden umstellt ist und keinen Ausweg mehr sieht.

Dann brach das Grauen um sie los mit einem Schlag. Sie hatten ja alle ihre Waffen, hüben und drüben. Nur Etzel war waffenlos und die Recken von Bern und Bechelaren!

»Hüte die Tür, Bruder Dankwart!« donnerte Hagens Stimme, »und laß keinen Hunnen entkommen!«

An der Wand stand Werbel, der Spielmann, entsetzt und bleich, denn er war kein Krieger. Seine Hand hielt noch die Fiedel. Hagen sah ihn, sein Schwert zuckte, Hand und Fiedel fielen zu Boden.

»Das ist für deine Botschaft nach Burgunden, die uns hierher gebracht hat!« schrie er und stürzte sich in den Kampf.

Volker hieb mitten in einem Knäuel von Feinden um sich wie ein wildes Tier. Verbissen rannten die Hunnen gegen ihn an: Einer nach dem andern rannte in den Tod. Da sprang Gunther über den Tisch. Er wollte die Kämpfer trennen, ehe noch größeres Unheil geschehen war. Aber es gelang ihm nicht. Im nächsten Augenblick mußte er selbst um sein Leben kämpfen. Gernot und Giselher schlugen sich zu ihm durch; so stritten die Brüder Seite an Seite.

An der Tür war aber Dankwart unterdessen in große Not geraten: Denn viele Hunnen wollten aus dem Saale fort, und andere versuchten hereinzukommen, um ihren Freunden Hilfe zu bringen.

Hagen sah es. »Freund Volker, gib auf Dankwart acht!« rief er dem Spielmann über die Köpfe der Kämpfenden zu. »Er kann nicht gegen zwei Seiten kämpfen!«

Volker sprang an die Tür. Sein Schwert schaffte ihm bald Platz neben Dankwart. »Du gegen draußen, ich gegen drinnen!« sprach er rasch, und Rücken an Rücken kämpfend, hüteten sie den Eingang.

Als Hagen den Saal so sicher verschlossen wußte, begann

er erst recht unter den Hunnen zu wüten. Er warf sich den Schild auf den Rücken, und Balmung mit beiden Händen führend, ging er wie ein Würgengel unter den Feinden um.

Etzel lehnte an einer Säule. Sein Gesicht war grau und verfallen und alle Kraft schien von ihm gewichen. Er sah, wie seine Freunde fielen, einer nach dem andern. Und er selbst hatte nicht einmal eine Rüstung und ein Schwert, um seinen Sohn zu rächen! Was nützte ihm seine ganze Macht in dieser furchtbaren Stunde? Er war ein waffenloser Gefangener in seinem eigenen Saale! Und sein letzter Sohn war tot. Wie seine Söhne Scharpf und Ort, die Wittich in der Rabenschlacht erschlagen hatte.

Niemand würde nach ihm kommen, über sein großes Reich zu herrschen. Es würde zerfallen wie morsches Gemäuer, das Abendland würde sich frei machen, und der fremde Boden würde das Volk der Hunnen aufsaugen. Oder vielleicht kehrte es wieder dahin zurück, von wo es ausgezogen war.

Kriemhild starrte mit irren Augen hinab in die brüllende tobende Hölle. Sie dachte an nichts mehr: Selbst ihre Rache hatte sie vergessen. Sie fühlte nichts mehr als eine entsetzliche Angst. Sie mußte fort von hier, um jeden Preis fort!

Einmal hob sie die Hand und klammerte sie um Etzels Arm. Aber sie ließ ihn sogleich wieder los, als sie in sein Gesicht sah, aus dem ihr eine solche Einsamkeit und Düsternis entgegenschlug, daß sie kein Wort mehr zu sagen vermochte. Er schien ihr mit einem Male so entsetzlich fremd, als hätte sie ihn nie gesehen.

Gott im Himmel, gab es niemand, der ihr half? Ihre Augen flohen angstvoll zu Dietrich. Er hatte sie zornig abgewiesen, als sie verlangte, er solle ihrer Rache dienen. Aber er mußte ihr beistehen in ihrer Not! Er hatte noch nie jemanden ohne Schutz und Hilfe gelassen, der ihrer bedurfte.

Im nächsten Augenblick stand sie vor ihm. Sie hob die

gefalteten Hände. Ihre Stimme war heiser vor Entsetzen, kaum gehorchten ihr die Worte.

»Herr Dietrich, rette mich, ich bitte dich! Hagen wird mich töten! Ich weiß, daß er mich töten wird! Hilf mir fort von hier, Herr Dietrich, um Gottes Barmherzigkeit und aller ritterlichen Tugend willen . . .« Sie wußte kaum noch, was sie sprach.

Dietrich sah auf sie hinab. Sein Blick war hart. Denn da stand er und mußte diesen furchtbaren Kampf mitansehen, an dem sie schuld war. Und nun flehte sie: rette mich! Sollte er sie nicht ihrem Schicksal überlassen, das sie selbst heraufbeschworen hatte? Viele Unschuldige waren schon um ihretwillen gestorben, und dies war wohl erst der Anfang. Aber dennoch: Kriemhild hatte so viel Leid erfahren. Gott allein wußte, was in ihrem armen, zermarterten Kopfe vorging. Und nun hatte Hagen vor ihren Augen das arme Kind getötet, wie er einst Siegfried erschlug! Nein, das alles war wohl mehr, als eine Frau ertragen konnte.

Allmählich wich alle Härte aus Dietrichs Gesicht. Nur noch eine große Menschengüte war darin. Leise nahm er die schmalen Finger, die sich in seinen Arm gekrallt hatten, fort, und hielt sie fest, und sie lagen eiskalt in der Wärme seiner großen, guten Hand.

»Ich will versuchen, ob ich euch helfen kann.« Seine Augen überflogen den Saal. Es war schwer, die Kämpfer zu erkennen, so furchtbar sahen sie aus, in zerbeulten Helmen und blutverschmiertem Harnisch unter Schilde und sausende Schwerter gebückt. Nun hatte Dietrich Gunther entdeckt und rief ihn an. Aber so laut seine Stimme klang, der Lärm verschlang sie. Da sprang er auf den Tisch und legte beide Hände an den Mund. Und diesmal hörte Gunther den Ruf, und auch die anderen horchten auf. Sie erkannten Dietrichs Stimme, und sie besaß selbst jetzt, da die ganze Wildheit des Kampfes die Männer gepackt hatte, noch so viel Gewalt über sie, daß die Schwerter sich senkten und Stille eintrat.

»Ich höre, edler Dietrich!« rief Gunther. »Hast du dich über etwas zu beklagen, was meine Mannen dir getan haben, so ist es mir leid, und du sollst jede Buße erhalten!«

»Nein«, sprach Dietrich. »Aber wir stehen hier waffenlos, und dies ist nicht unser Kampf. Wollt ihr uns erlauben, mit unseren Freunden den Saal zu verlassen?«

»Alle mögen gehen, die nicht in Waffen hergekommen sind!« antwortete Gunther. »Aber wir werden gut darauf achtgeben, daß unsere Feinde nicht mit euch entrinnen.«

»Ich danke dir, König Gunther! Ihr wißt, daß ich euer Freund bin, ihr Burgunden. Aber ich bin auch König Etzels Gast und Freund. Darum muß ich diesem Kampfe fernbleiben. Gott schütze euch!«

Er sprang vom Tische, nahm Kriemhild und Etzel an der Hand und führte sie nach dem Eingang. Ihm folgten die Recken von Bern und Rüdiger mit seinen Mannen.

Volker und Dankwart lehnten an der Tür in blutverklebtem Harnisch, viele erschlagene Hunnen lagen um sie.

Schweigend wichen die hunnischen Krieger an den Fuß der Stiege zurück. Schweigend warteten sie, bis der Zug aus dem Saale an ihnen vorüber war. Sie wagten nicht, ihrem König in das Gesicht zu sehen: Denn sie wußten wohl, daß er sehr zornig und traurig war.

Im nächsten Augenblick brach der Kampf wieder mit neuer Wut los. Sie sprangen Volker an wie die Wölfe; es mußte doch gelingen, diesem entsetzlichen Spielmann endlich den Garaus zu machen!

Aber es gelang nicht. Volker stand wie eine Säule. Sie mochten von vorne anrennen oder sich von der Seite herschleichen, sein Schwert war überall: Es fuhr herab wie der Blitz, sie stürzten nieder und blieben liegen.

Allmählich wurde es stiller im Saal und dann ganz ruhig. Es war die Ruhe des Todes: denn von den Hunnen lebte keiner mehr.

Auch auf der Stiege war der Kampf aus. Dankwart lehnte müde an der Mauer, seine letzten Gegner hatten sich davongemacht, als drinnen alles zu Ende war.

Drunten auf dem Platz standen noch immer Etzel und Kriemhild mit vielen Recken, die den Ausgang des Kampfes sehen wollten.

Nur Dietrich und Rüdiger waren fortgegangen, beide tief bekümmert und voll Sorge, was für Unheil noch geschehen würde.

Im Saale rasteten die müden Burgunden. Sie saßen auf Tischen und Bänken, lehnten an den Säulen und in den Winkeln des Gewölbes. Viele hatten Wunden zu verbinden, ihre Gesichter waren blutverschmiert, und in ihren hohl gewordenen Augen loderte eine fremde Wildheit.

Da und dort schlief unter einem burgundischen Helm ein stilles Gesicht, das nimmer erwachen würde.

Giselher ließ die Augen durch den Saal gleiten: überall Tote und Waffen und Trümmer. Und es würde bald wieder neuen Kampf geben.

»Wir wollen die Toten hinaustragen«, sprach er zu Hagen, »denn wir werden Platz brauchen zum Kämpfen!«

Hagen stand schwerfällig auf. »Du hast recht! Auf, ihr Recken, werft die Toten hinaus, sie werden uns im Wege sein!«

Aus Türen und Fenster warfen sie die Erschlagenen hinab auf den Sand. Es waren viele vornehme Hunnen unter ihnen. Etzel und die Königin sahen es mit Gram und Zorn: Sie mochten aber den Platz nicht verlassen.

Droben an der Saaltür erschienen jetzt wieder Volker und Hagen und bezogen ihre Wache. Eine Weile blieb es drunten und droben still. Aber plötzlich sagte Hagen: »Armer König Etzel, du hast so viele Mannen, die dein Brot essen. Und da stehen sie nun um dich und weinen und klagen. Aber keiner mag für dich kämpfen!«

Da sprang Iring von Dänemark vor.

»Nun ist es genug!« schrie er rot vor Wut über den Schimpf.

»Das sollst du büßen, Hagen von Tronje! Bringt mir meine Waffen!«

Sein Lehensherr Haward und Irnfried von Thüringen, der sein Vetter war, wollten ihn nicht allein in diesen Kampf gehen lassen. So befahlen sie ihren Recken, sich zu waffnen, und so folgten sie alle, eine große Schar, Iring zum Saale.

Aber da empfing ihn Volker mit Spott. »Seht, Iring kommt mit Heeresmacht, um einen einzelnen Mann zu bekämpfen!«

Das ertrug der tapfere Däne nicht. Er bat und beschwor seine Freunde so lange, bis sie ihn allein gehen ließen.

Wütend stürzte er sich auf Hagen. Aber der Tronjer war wie ein Felsen, gegen den er vergebens anrannte. Ihre Schläge hallten vom Gewölbe wider. Iring glühte vor Wut. Er hörte Volker neben sich lachen. Da ließ er Hagen stehen und stürzte sich auf den Spielmann.

Der hieb ihm den Schild entzwei: Da warf er ihn weg, tobte in seinem Grimm weiter den Saal hinab, rannte Gunther an und darauf Gernot. Andere burgundische Ritter stellten sich ihm zum Kampfe. Er erschlug vier von ihnen, die Giselhers Mannen waren. Da trat ihm der junge König selbst in den Weg.

Mit furchtbarer Wucht sauste Giselhers Schwert nieder auf Irings Helm. Wie vom Blitz getroffen stürzte der Däne zu Boden. Da lag er und rührte sich nimmer, und die Burgunden meinten, er wäre tot. Aber schon sprang er auf die Beine wie eine Katze und raste der Tür zu: Denn er mußte einen neuen Schild haben und einen anderen Helm.

Hagen versperrte ihm den Ausgang. Wutschnaubend packte Iring sein Schwert mit beiden Händen und hieb es ihm über den Kopf: Im Nu lief Hagen das Blut über das Gesicht, und der Helm hing klaffend an der Seite herab.

Iring sprang über die Stiege hinab. Kriemhild ging ihm entgegen, dankte ihm, band ihm selbst den Helm auf und

ließ ihm einen guten Schild bringen. Dann lief er kampf-
begierig zurück zum Saal. Hagen wartete schon auf ihn.
»Komm nur, Herr Iring«, rief er ihm grimmig entgegen,
»die kleine Wunde hat mich gerade richtig gereizt!«
Mit riesiger Kraft geführt, fuhr Balmung dem tapferen
Dänen durch den Harnisch tief in die Brust. Es war zu
Ende. Iring fühlte, daß er nicht mehr kämpfen konnte,
und wandte sich zum Ausgang. Da bückte sich Hagen,
ergriff einen Wurfspeer, der da lag, und schoß ihn dem
Verwundeten durch den Helm ins Haupt. Er schleppte
sich noch taumelnd die Stufen hinab. Zu Kriemhilds
Füßen sank er nieder.
Die Königin weinte, als sie niederkniete und den Speer
herauszuziehen versuchte. Er öffnete noch einmal die
Augen. »Weine nicht, Königin«, sprach er mühsam, »ich
habe dir und dem König treu gedient bis zum Tode!«
Nun stürmten Haward und Irnfried mit ihren Mannen
gegen den Saal. Volker band sich den Helm fest. Sein
kühnes Gesicht war ernst und fast traurig, als er sie
kommen sah.
»Siehst du«, sprach er zu Hagen. »Das ist der Anfang
unseres Unterganges. Solange wir nur Hunnen gegen uns
haben, könnten wir vielleicht davonkommen. Aber wenn
Männer der gleichen Art, die Freunde sein sollten, sich
gegeneinander wenden, so gehen sie zugrunde.«
Wieder tobte das Getümmel im Saal entsetzlicher als zuvor. Hagen erschlug nach kurzem, wildem Kampf
Haward, der riesige Irnfried von Thüringen bedrängte
Volker hart und lange, aber dann lag auch er still ausgestreckt an der Mauer. Viele Burgunden fielen, denn
Thüringer und Dänen waren streitbare Männer: Sie
kämpften, bis keiner von ihnen mehr aufrecht stand.
Noch einmal wurde es still.
»Nehmt die Helme ab!« mahnte Hagen und lehnte
seinen Schild an die Mauer. »Vielleicht gönnen sie uns
ein wenig Ruhe. Mich dünkt, die Hunnen haben für eine
Weile genug zu klagen.«

Er sah sich nach Volker um. Aber Volker stand schon wieder draußen vor der Tür auf seinen Schild gestützt und hielt Wache.

Der weite Platz drunten lag jetzt leer, und der Schatten der Türme und Kuppeln fiel über den gelben Sand: Denn die Sonne stand schon tief im Westen. Etzel und Kriemhild waren mit den anderen fortgegangen.

Schweigend, zum Sterben müde, saßen die Burgunden. In Strähnen, naß vom Schweiß und Blut, klebte ihnen das Haar um die vor Anstrengung eingefallenen Gesichter. Durch die Fenster kam die Abendkühle und erquickte sie ein wenig.

Aber mit der Kühle kamen auch die Hunnen wieder. Immer von neuem stürmte ein Haufe heran, dessen Führer von Kriemhild Gold empfangen hatte. Sie holten sich freilich blutige Köpfe, aber was machte das aus: das große Hunnenreich hatte unzählige Menschen, und in den Weiten Asiens galt ein Leben niemals viel.

Die müden Recken aber mußten immer wieder aufspringen und zu den Waffen greifen. Da sprachen schließlich die Könige unter sich, ein schnelles Ende wäre besser, als diese ewigen Kämpfe, an deren Ausgang doch für sie alle der Tod stehen würde.

So riefen sie dem nächsten Hunnenhäuptling, der mit seiner Schar anrückte, zu, sie wollten mit Etzel und Kriemhild über Sühne und Frieden reden.

Die Hunnen höhnten zwar, Frieden gäbe es nur für Tote, aber sie bestellten doch die Botschaft, obgleich es schon Nacht geworden war.

Etzel und Kriemhild kamen sofort. Die Burgundenkönige gingen ihnen auf den Platz hinab entgegen. In der Dunkelheit flammten ringsum die Fackeln der Hunnen.

Aber Etzel schüttelte den Kopf, als Gunther von Sühne und Frieden sprach. »Was für Sühne könnt ihr mir bieten für das Leben meines Sohnes und für alle meine Freunde, die ihr mir erschlagen habt? Nein, ihr Burgunden, es gibt keine Sühne als den Tod!«

Sein Gesicht sah fremd und grausam aus im ungewissen Schein der Fackeln.

Vergebens stellten sie ihm vor, wie sie im Vertrauen auf seine Freundschaft gekommen seien, wie Blödelin zuerst ihre Knechte überfallen habe und wie sie dann um ihr Leben kämpfen mußten, ob sie wollten oder nicht.

Giselher faßte Kriemhild mit beiden Händen hart an den Schultern. »Was habe ich dir getan? Hast du denn alles vergessen, was früher war? Und willst du uns jetzt alle töten?« Er fühlte, wie sie zusammenschauderte.

»Nein«, flüsterte sie entsetzt, »nein, ich will es nicht! Ich habe es nie gewollt, Giselher! Aber ich muß Hagen haben. Gebt mir Hagen heraus, und ihr sollt frei sein! Ich schwöre es, daß ich Etzel überreden werde, euch freizugeben!«

Langsam sanken Giselhers Hände von ihren Schultern herab. Er trat zurück.

»Nein«, sagte er laut und fest, »so wollen wir lieber alle miteinander sterben als einen von den Unsrigen opfern.«

Abermals fühlte Kriemhild, wie diese entsetzliche, maßlose Wut sie überkam, vor der sie sich selber fürchtete, wie es dunkel und wirr in ihrem Kopfe wurde. Sie wandte sich um und ging auf den Hunnenführer zu, der mit seinen Kriegern wartend dastand.

»Treibe sie alle zurück in den Saal! Und dann laß die Bogenschützen kommen und ihn in Brand schießen!« Im nächsten Augenblick war sie in der Dunkelheit verschwunden.

Ein kurzer Befehl – ein Hagel von Pfeilen und Wurfspeeren prasselte auf die Rüstungen der Burgunden. Es blieb ihnen nichts übrig, als in den Saal zurückzukehren, da sie ohne Schild und Schwert gekommen waren.

In der Nacht draußen aber begann ein gespenstisches Leben. Auf Mauern und Söllern und Wehrgängen erschienen alsbald dunkle, lautlose Gestalten. Winzige Funken schwebten durch die Luft wie Sternschnuppen. Aber sie fielen nicht aus dem Himmel herab. Sie kamen ringsum von Türmen und Mauerzinnen. In einem sanften Bogen flogen sie auf das Dach des Saales und bissen sich im Holze fest. Im Gebälk begann es zu knistern. Da und dort und bald überall schossen kleine gelbe Flammen auf: Das Holz war alt und ausgedörrt und brannte wie Stroh. Im Nu war das Dach eine einzige brennende Fläche. Die Burgunden beobachteten es mit zusammengebissenen Zähnen. Der Rauch zog zu den Fenstern herein und nahm ihnen den Atem, die Luft wurde heiß zum Ersticken. Hart wie ein Stück Holz lag ihnen die Zunge im Munde und drohte sie zu erwürgen. Ein entsetzlicher Durst quälte sie. Da und dort fiel einer heiser stöhnend zu Boden und vermochte nimmer aufzustehen.

Hagen und Volker sprangen von der Tür zurück in den Saal: Denn das brennende Gebälk begann überall herabzustürzen. Über ihnen barst das Gewölbe von der Hitze; breite Spalten entstanden, durch die glühendes Holz in das Innere herabfiel. Sie schlugen es mit den Schilden aus und traten die Funken ins Blut, das überall den Boden bedeckte.

Drunten hatte sich unterdessen der ganze Platz mit heulenden, johlenden Hunnenkriegern gefüllt, die aus sicherer Entfernung zusehen wollten, wie die gefährlichen Feinde in den Flammen umkamen.

Aber noch lebten sie. Das Gewölbe krachte und zersprang, aber es stürzte nicht ein. Dennoch: man konnte nicht mehr atmen, die Luft war wie geschmolzenes Metall, und die Mauern strahlten glühende Hitze aus. Die Rüstungen bereiteten Höllenqualen, die Augen brannten, vielen waren Haar und Bart versengt.

Als der Morgen heraufstieg, sagte Volker: »Wir wollen ganz zurückgehen, wo man uns nicht mehr sehen kann! Dann werden die Hunnen glauben, wir wären alle tot.«

Sie nahmen ihre Waffen und warteten. Frisch und kühl zog die Morgenluft durch die Fensteröffnungen herein, und es schien den Männern, als wären sie aus der Hölle entronnen.

Vorsichtig kam ein Häuflein Hunnen die Stiege herauf, nachzusehen. Aber sie stürzten Hals über Kopf wieder hinab, als ihnen die gewaffneten Recken entgegentraten. Eilig rannten sie zu Kriemhild. Sie stand am Fenster und sah sie kommen. »Nun ist alles vorüber«, dachte sie, »und Hagen ist tot. An Giselher und die anderen darf ich nicht denken. Nein, ich will nicht! Ich will nur wissen, daß Hagen tot ist!« Sie wandte sich den Boten zu.

»Herrin, sie leben«, sagte einer.

Sie leben? Nein, sie können nicht leben. Diesmal nicht mehr.

»Es kann nicht sein!« sagte sie hastig. »Ich will es selber sehen.« Sie lief, wie sie war, aus der Kemenate, durch den Gang, hetzte die Treppe hinunter, ihr Gewand fegte über den gelben Sand des Hofplatzes ...

Von Etzels herrlichem Saal war nichts mehr übrig als rauchgeschwärztes Gemäuer, zerborstenes Gewölbe.

Aber unter dem Bogen, wo ehemals die Tür war, stand Hagen.

12

Etzels Kämmerer trat bei Rüdiger ein. »Edler Markgraf, der König erwartet dich!«

Rüdiger erhob sich ohne Eile. Aber sein Gesicht hatte jäh alle Farbe verloren. Er wußte, was nun kam. Er hatte es die ganze Zeit gefürchtet. Schweigend folgte er dem Boten.

In Etzels Gemach stand Kriemhild neben dem König. Ihn schauderte, denn sie sah aus wie der Tod.

»Markgraf Rüdiger«, begann Etzel zu sprechen, und seine Stimme war so fremd wie seine Züge, die auf eine gewaltsame Weise starr und alt geworden schienen, »... du weißt, wieviel Leid uns geschehen ist. Meine Krieger haben es nicht rächen können. Nun bitte ich dich: schaffe du uns Sühne für den Tod meines Sohnes und meiner Freunde!«

Ja, nun war das Unheil da! Aber Rüdiger wollte es noch nicht glauben.

Mit einem schnellen Schritt stand er dicht vor dem König. »Herr, verlange jeden Dienst von mir, nur diesen nicht! Ich kann ihn nicht leisten.«

Einen Augenblick glühte Zorn in Etzels Blick auf, aber gleich darauf waren die dunklen Hunnenaugen wieder völlig ausdruckslos.

»Ich habe dir ein reiches Land zu Lehen gegeben. Ich will dich noch viel reicher machen, wenn du meine Bitte erfüllst. Es gibt nichts, das ich dir nicht gewähren würde, um was du mich auch bitten magst.«

»Nein, König Etzel, versprich mir nichts! Ich kann es nicht! Nimm alles wieder zurück, was ich habe! Lieber will ich mit Weib und Kind arm in die Fremde ziehen, als ungetreu an meinen Freunden handeln. Bedenke, Herr: Sie waren zu Bechelaren meine Gäste. Ich habe Giselher meine Tochter verlobt. Soll ich nun hingehen und sie erschlagen?«

Kriemhild war schweigend dagestanden. Nun wandte sie ihm das Gesicht zu: von diesem Augenblick an wußte er, daß er verloren war.

»Markgraf Rüdiger, du hast mir einst zu Worms einen Eid geschworen, als du für König Etzel um mich warbst: Du wolltest jedes Leid, das mir geschähe, rächen. Hagen hat mir mein Kind getötet. Kann es ein größeres Leid für eine Frau geben? Nun mahne ich dich an deinen Eid!«

Seine Not und Bedrängnis war so groß, daß er das Knie vor ihr beugte.

»Ich bitte dich, nimm mein Leben, Königin, aber zwinge mich nicht zu diesem Kampf!«

Doch sie sah über ihn fort und schüttelte stumm den Kopf.

Da sprang er auf. »So werde ich kämpfen und sterben, da ihr es mir nicht erlassen wollt!« Ohne Gruß verließ er das Gemach und ging in die Herberge zu seinen Recken.

»Rüstet euch!« befahl er. »Wir müssen mit den Burgunden kämpfen. Die Königin will es!« Sie verstanden es nicht und vermochten es kaum zu glauben, aber sie gehorchten.

Volker sah sie herankommen und begriff sogleich, was dies zu bedeuten hatte. Er rief die Könige.

»Das ist die Rettung!« sprach Giselher voll Freude, als er den Markgrafen erkannte.

Volker sah ihn sonderbar, beinahe mitleidig an. »Hast du je gesehen, daß Freunde mit gezogenem Schwerte kommen?«

Dennoch gingen sie Rüdiger zum Gruß entgegen: Vielleicht hatten sie heimlich noch einen kleinen Funken Hoffnung.

Da hielt der Markgraf am Fuße der Stiege an und stieß den Schild vor sich auf den Boden.

»Bereitet euch zum Kampf, ihr Burgunden!« Er vermochte kaum zu sprechen. »Mir könnte kein größeres Leid geschehen. Aber die Königin löst mich nicht von meinem Eid!«

Einen Augenblick standen die Burgunden stumm. Dann sagte Gunther müde: »Wir hatten gehofft, du kämst als Freund. Hast du vergessen, wie wir in der Burg zu Bechelaren deine Gäste waren?«

Gernot sprang die Stiege hinab. »Was ist das für ein höllischer Wahnwitz? Du kannst doch nicht wollen, daß ich mit dem Schwerte gegen dich kämpfe, das du mir selbst geschenkt hast!«

Dem Markgrafen schossen die Tränen in die Augen, als er Giselher in das gute, junge Gesicht sah. »Dietlinde wird sehr unglücklich sein«, sprach Giselher traurig. »Ich aber werde mein Schwert nicht gegen dich aufheben, was auch geschehen mag!«

»Freund Rüdiger«, rief Hagen, »siehst du meinen Schild, den mir Gotlinde gegeben hat? Die Hunnen haben ihn mir zerhauen. Hätte ich nur einen so guten, wie du ihn da trägst, so wollte ich ohne Sorge sein!«

Da hob Rüdiger seinen Schild auf und reichte ihn Hagen. »Du sollst ihn haben! Mögest du ihn heimtragen an den Rhein!« Den Recken ringsum wurden die Augen feucht bei dieser letzten Gabe des edlen Markgrafen. Sie rührte selbst Hagen, so hart und grimmig er war.

»Das lohne dir Gott!« sprach er rauh. »Und verflucht sei meine Hand, wenn ich sie in diesem Kampfe gegen dich erhebe!«

»Auch von mir sollst du Frieden haben!« gelobte Volker. »Ich habe nie einen besseren Mann gefunden als dich!«

Ein Knecht brachte Rüdiger einen neuen Schild. Er ergriff ihn achtlos.

»Ich wollte, ihr wäret am Rhein und ich läge tot im Grabe«, sprach er trostlos. »Nun kann ich unser Schicksal nicht wenden. Gott helfe uns allen!«

Er stürmte die Stiege hinauf. Hagen und Volker wichen zurück und gaben den Eingang frei. Ihrem Herrn nach drängten die Recken von Bechelaren in den Saal.

Mit der Wut seiner grenzenlosen Verzweiflung warf sich Rüdiger in den aufgezwungenen Kampf.

Die burgundischen Ritter stellten sich nur zögernd: Denn noch vermochten sie den furchtbaren Irrsinn zu erkennen, der in all diesem lag. Hat aber einmal der Kampf die Männer gepackt, so glauben sie nur noch, aus eigenem Willen zu handeln, indes ihnen alle Macht der Entscheidung längst aus den Händen geglitten ist.

Wieder hallte das zerborstene Gewölbe vom Kampfgetöse. Hagen, Volker und Dankwart fällten viele von den Mannen des Markgrafen. Aber sie und Giselher trachteten sorgfältig, Rüdiger nicht zu begegnen. Gernot sah voll Trauer, wie seine Mannen, einer nach dem andern, unter Rüdigers Schwert fielen. Da stellte er sich ihm entgegen.

»Nun mußt du doch noch durch deine eigene Gabe zu Schaden kommen«, rief er und drang auf den Markgrafen ein.

Es war nur ein kurzer Kampf. Rüdigers Schwert schlug Gernot durch den Helm eine klaffende Wunde. Ehe noch der Burgunde stürzte, fuhr seine Klinge dem Markgrafen durch die zerrissenen Ringe in den Hals. Ein Blutstrahl sprang auf. Langsam sank er in die Knie und fiel vornüber, bis sein Haupt auf Gernots Schulter lag.

Volker sah sie fallen, geopfert in diesem Kampf, der gar nicht ihr eigener war. Er hätte hinlaufen mögen. Aber das Getümmel ließ ihn nicht los: Nun mußten sie kämpfen bis zum Ende. Denn es gehört zum furchtbaren Schicksal der Menschen ihrer Art, daß sie immer ihren Weg bis zum bitteren Ende gehen müssen.

Sie waren nicht mehr viele, als sie endlich rasten konnten, die sterbensmüden Burgunden. Und die Recken von Bechelaren waren alle mit ihrem Herrn in den Tod gegangen.

Gernot und Rüdiger lagen still auf ihren Schilden ausgestreckt. Am Eingang lehnte Volker. Er hatte den Helm abgenommen, und der Wind aus der fremden Steppe wehte durch sein Haar. Niemand sprach ein Wort, fast als wären sie alle schon gestorben.

Sehr, sehr lange blieb es so still.

Dann tönte vom Hofplatz herauf eine Stimme, die sie emporriß.

»Siehst du, König Etzel«, hörten sie Kriemhild sagen, »Rüdiger hat sein Wort nicht gehalten. Es ist alles ruhig im Saal. Sie haben gewiß nur eine Weile gekämpft und dann Frieden geschlossen.«

Da faßte Volker eine entsetzliche Wut.

»Schweig still, du Teufelin!« schrie er. »Da, sieh her: Rüdiger hat dir so treu gedient, daß er mit allen seinen Mannen hier erschlagen liegt!«

Die Burgunden hatten den toten Markgrafen aufgehoben und trugen ihn an die Tür, daß die draußen ihn sahen.

Etzel brüllte auf wie ein Tier: Er wußte, daß er den treuesten Freund verloren hatte. Kriemhild aber begann laut zu weinen und zu klagen. Volker starrte erbittert zu ihr hinab.

»Ja«, sagte er mit schneidendem Hohn, »das ist freilich schlimm für dich, denn nun mußt du dir wieder jemanden anderen suchen, der uns endlich tötet. Ein paar von uns leben ja immer noch.«

Wie ein Lauffeuer verbreitete sich die Kunde von Rüdigers Tod in der Etzelburg, und es gab niemanden, der den guten Markgrafen nicht betrauerte.

Dietrich von Bern erschrak zutiefst, als man ihm die Nachricht zutrug. Schon seit die Burgunden gekommen waren, hatte er geahnt, daß etwas Furchtbares geschehen würde. Aber was hatte Rüdiger damit zu tun?

»Wir müssen selbst hören, was daran wahr ist«, sagte er heftig. »Ich mag es nicht glauben!«

Wolfhart sprang auf. »Ich will gehen und die Burgunden befragen«, bot er sich voll Eifer an. Er hatte schon in vielen Schlachten neben Dietrich gekämpft, aber wie er so dastand mit seinem tapferen, ein wenig eckigen Gesicht, sah er aus wie ein Knabe.

Dietrich lächelte nachsichtig. »Du bist mir ein zu ungestümer Bote, Wolfhart. Und es darf nicht noch mehr Streit geben. Helfrich mag hingehen!«

Aber unterwegs begegneten Helfrich schon allenthalben Leute, die entsetzt davon redeten, daß die Burgunden Rüdiger erschlagen hätten. Da kehrte er um, denn nun gab es wohl nichts mehr zu fragen, meinte er.

Die Amelungen hörten es mit großer Trauer, und sie grollten den Burgunden, denn der Markgraf war ihnen allen ein guter Freund gewesen, seit sie mit ihrem König in dieses Land gekommen waren.

Dietrich schwieg lange zu ihren zornigen Reden. »Ich will wissen, was da geschehen ist«, sagte er endlich. »Niemals hätte Rüdiger aus eigenem Willen Kampf mit den Burgunden begonnen!«

Er bat Meister Hildebrand, hinzugehen und genau zu erkunden, was sich zugetragen hatte. Der alte Recke ging. Draußen traf er Wolfhart und eine große Schar anderer Amelungen, die eifrig etwas miteinander beredeten.

Wolfhart sah seinen Oheim mißbilligend an. »Willst du denn ohne Waffen gehen? Mich dünkt, das ist an diesem Hofe gefährlich.«

»Du magst recht haben«, sagte der Alte nachdenklich und ließ sich seine Waffen bringen.

Er war noch nicht weit gegangen, da hörte er hinter sich die Schritte vieler geharnischter Männer, und als er sich verwundert umsah, zeigte es sich, daß alle Berner Recken unter der Führung Wolfharts gewaffnet hinter ihm herkamen.

»Was tust du denn?« fuhr er seinen Neffen an. »Hat dir Herr Dietrich das befohlen?«

»Nein«, antwortete Wolfhart trotzig. »Aber wir werden dich dennoch begleiten, denn niemand kann wissen, was geschieht, wenn du allein gehst.«

Und davon waren sie nicht abzubringen. Rüdigers Tod hatte sie sehr zornig gemacht.

Hagen und Volker standen vor dem Saal, als sie hinkamen. »Sieh dir die Amelungen an!« sagte Volker leise. »Sie sind unsere Feinde geworden, um Rüdigers willen.«

Hildebrand setzte seinen Schild nieder.

»Herr Dietrich sendet mich, zu fragen, ob es wahr ist, daß ihr Rüdiger erschlagen habt.«

»Ich wollte selber, es wäre nicht wahr«, sprach Hagen düster.

Die Amelungen, die sich drunten um die Stiege drängten, antworteten mit zornigen Rufen.

»So gebt uns wenigstens den Toten heraus«, bat Hildebrand, »damit wir ihn mit Ehren begraben können.«

»Holt ihn!« rief Volker barsch. Es zürnte ihn, daß man ihnen die Schuld am Tod des Markgrafen zuschob. »Wir sind müde, und ihr leistet ihm gewiß gerne den letzten Dienst.«

Da brach Wolfhart aus. »Hüte deine Zunge, Spielmann!« schrie er. »Du sollst uns nicht reizen! Dürfte ich nur vor meinem Herrn, so kämt ihr in Not!«

Volker sah den ungestümen Gesellen spottend an. »Bist du so gefügig, junger Held, daß du nichts zu tun wagst, was dir verboten worden ist?«

Das war zuviel für Wolfhart. Er riß sein Schwert heraus und sprang vor. Aber sein Oheim bekam ihn im letzten Augenblick am Arm zu fassen und hielt ihn fest. »Willst du wieder zu toben beginnen in deinem dummen Zorn und die Huld unseres Herrn verlieren?«

»Laß den Löwen los, Meister!« rief Volker. »Er ist so grimmig, daß ich ihn zähmen muß!«

Wutentbrannt riß sich Wolfhart los und stürmte die Stiege hinauf, hinter ihm her die Amelungenrecken. Ungehört verhallten Hildebrands zornige Befehle, Frieden zu geben: Das Unheil war nicht mehr aufzuhalten und riß ihn schließlich selber mit fort.

Grimm erfaßte ihn über alles, was geschehen war und noch geschah. Und als Hagens entsetzliches Gesicht dicht vor ihm in dem Getümmel auftauchte, schlug er los.

Wolfhart hatte sich erbittert auf Volker gestürzt, sein Geselle Wolfwin wollte ihm zu Hilfe kommen, sprang dazwischen und griff selbst den Spielmann an, wurde aber nach kurzem Kampf erschlagen. Helfrich war mit Dankwart zusammengestoßen, und nun vermochte der todmüde Burgunde nicht mehr lange Widerstand zu leisten. Der blutjunge Herzog Siegestab von Bern, Dietrichs Schwestersohn, warf sich Volker entgegen: Ein furchtbarer Hieb spaltete ihm Helm und Haupt. Als Hildebrand ihn fallen sah, stürmte er quer durch den Saal auf den Spielmann zu: Wie zwei wilde Eber tobten sie gegeneinander. Aber es war Volkers letzter Kampf. Dann lag auch der treue Wächter still unter den anderen Toten.

Wolfhart sah sich plötzlich Giselher gegenüber. Sie starrten einander einen Augenblick in die wilden Augen, der freundliche junge Burgundenkönig, der niemand übel wollte, und der stürmische Wolfhart mit dem heißen Knabenherzen. Ihr Leben hätte erst beginnen sollen. Nun endete es in einem sinnlosen Kampf.

Sie sanken nebeneinander nieder, als ihre Kraft zu Ende war.

Der alte Hildebrand ging langsam, müden Schrittes zwischen den Toten durch, dahin, wo sein Neffe gefallen war. Niemand hinderte ihn daran: Denn es war niemand mehr da, der es hätte tun können. Er nahm Wolfharts Kopf in die Arme. Da schlug der junge Recke noch einmal die Augen auf und sprach mühsam: »Sage meinen Freunden, daß ich ehrenvoll gestorben bin, von eines Königs Hand erschlagen, wie er von der meinen!« Ja, so jung war er noch. Sein Gesicht wurde still und verschloß sich.

Als ihn Hildebrand behutsam niederlegte, hörte er eine Stimme sagen: »Nun wirst du mir Buße geben für meinen Gesellen Volker!«

Er ergriff Schwert und Schild und richtete sich auf: Hagen stand ihm gegenüber. An der Mauer lehnte König Gunther, hohläugig vor Erschöpfung, in zerfetztem Harnisch. Sonst war niemand mehr da: kein Burgunde und keiner von Dietrichs Recken.

Mit Grausen starrte Gunther aus halbblinden Augen auf diesen letzten Kampf. Es war, als stritten Gespenster zwischen den Leibern der Toten.

Hildebrand dachte, während er schlug und sich schirmte, immerfort mit Entsetzen daran, daß Dietrich allein in der Herberge saß und wartete – und daß er ihm die furchtbare Nachricht bringen mußte.

Da biß sich Balmung durch die Brünne in seine Seite. Er fühlte das warme Blut hinabrinnen, und da tat der alte Recke etwas, was er in seinem langen Leben noch nie getan hatte: Er senkte sein Schwert, warf sich den Schild auf den Rücken, wandte sich um und verließ den Saal.

Niemand hätte darum den alten Helden der Feigheit zeihen können. Aber es durfte nicht sein, daß nun auch er noch in diesem Kampfe fiel und irgendein Fremder seinem geliebten Herrn Dietrich die Botschaft brachte, daß nun kein einziger mehr von allen seinen Getreuen lebte. Nein, das durfte nie und nimmer geschehen! Aber es wäre, weiß Gott, leichter gewesen, weiterzukämpfen bis zum Ende, als jetzt seinem Herrn unter die Augen zu treten, schien es Meister Hildebrand.

Dietrich empfing ihn zornig. »Du hast also doch gegen meinen Willen Streit angefangen. Nun geschieht dir recht, daß sie dir deine alte Haut durchlöchert haben!«

»Zürne nicht!« bat Hildebrand und wischte sich den Schweiß von der Stirn, der ihm beißend in die Augen rann. »Die Burschen wollten uns Rüdiger nicht herausgeben, da kam es zum Kampf.«

»So haben sie ihn wirklich getötet!« Dietrich ließ sich schwer auf die Bank nieder und stützte den Kopf in die Hände. »Diese Narren!« stöhnte er. »Den besten Ritter, der je gelebt hat! Warum denn nur? Ich werde es erfahren, und wehe ihnen, wenn sie schuld daran sind.«

Er sprang auf. »Laß mir mein Streitgewand bringen! Rufe unsere Mannen, sie sollen sich sogleich waffnen. Ich will selber mit den Burgunden reden.«

Hildebrand schluckte. Es würgte ihn im Halse.

»Herr«, sagte er leise und verzweifelt, »wen soll ich rufen? Deine Recken stehen alle vor dir. Ich bin allein übriggeblieben, alle anderen liegen erschlagen.«

Dietrich begriff nicht. Er konnte und wollte das Furchtbare nicht glauben.

Hildebrand liefen die Tränen über das Gesicht, während er erzählte. Er wäre lieber gestorben, als den Schmerz seines Herrn zu sehen.

Dietrich stand, die Stirne gegen die Mauer gelehnt, regungslos lange Zeit. Als er sich umdrehte, war sein Gesicht ruhig. Aber seine Hand blutete, wo sich seine Zähne hineingegraben hatten.

Er holte wortlos sein Streitgewand, Hildebrand half ihm, es anzulegen, und sie gingen miteinander fort nach dem Saal der Burgunden.

Allmählich gewann Dietrich seine Kraft und seinen Mut zurück. Er hatte im Leben viel Schweres erfahren und wußte, daß es ertragen werden mußte. Nun würde er Rechenschaft fordern und alles so zu lösen versuchen, wie es die ewigen Gesetze verlangten, die die Menschen nicht ungestraft brechen durften.

Aber dann stand er Gunther mitten unter den Toten gegenüber, und da ergriff es ihn mit Gewalt, daß dies das Ende eines großen Königsgeschlechtes und einer tapferen Ritterschaft war. Und jedes Gerede erschien ihm zuviel.

Als er zu sprechen anfing, war seine Stimme ganz ruhig und beinahe gut. »Es ist mir viel Leid von euch geschehen. Ihr habt Rüdiger erschlagen, der mein Freund war, und alle meine Mannen. Aber auch ihr seid allein übriggeblieben, du und Hagen. Nun ergebt euch mir als Geiseln. Ich will euch von König Etzel und Kriemhild schützen, so gut ich es vermag: Das gelobe ich auf meine Ehre und Treue. Einen anderen Weg gibt es nicht mehr für euch.«

Gunther fuhr wohl auf. Aber er ließ sich im selben Augenblick wieder zurücksinken, als wäre alles, was nun noch geschehen konnte, nicht mehr wichtig.

Hagens Trotz aber war noch nicht gebrochen. Mit einem wilden Lachen warf er den Kopf zurück, er hatte kaum noch etwas Menschliches an sich.

»Glaubst du wahrhaftig, daß sich zwei gewaffnete Recken dir ergeben werden wie unreife Knaben? Nein, Herr Dietrich, so leicht wird es dir nicht gemacht, solange ich noch einen Tropfen Blut im Leibe habe!«

Da wurde Dietrichs Gesicht hart. »So muß es zu Ende gebracht werden«, sprach er, schwang den Schild vor die Schulter und griff an.

Zwar dröhnten Hagens Schläge noch immer mit furchtbarer Wucht nieder auf seinen Helm, und Balmungs

Schneide war so scharf wie je. Aber dennoch: dieser Tag und diese Nacht waren selbst an der Riesenkraft des Tronjers nicht spurlos vorübergegangen.

Dietrich war stark, und Hagens zerrissene Brünne vermochte ihn nicht mehr vor Eckesachs, dem berühmten Schwert des Gotenkönigs, zu schützen. Es schlug ihm eine lange, tiefe Wunde in die Seite. Hagen taumelte. Sein Atem begann zu keuchen. Aber er fiel nicht und er ergab sich nicht.

Dietrichs Schläge wurden zögernd. Nun wäre es leicht gewesen, Hagen zu töten. Aber er vermochte es nicht zu tun.

Plötzlich warf er Schwert und Schild zur Seite und sprang mit einem Satz vor, daß er auf den Tronjer prallte. Im nächsten Augenblick hatte er ihm Balmung aus der Hand gewunden und weit von sich geschleudert.

Wohl wehrte sich Hagen verzweifelt, als Dietrichs eiserne Arme ihn umschlossen. Aber es half ihm nichts mehr. Ächzend brach er in die Knie, und Dietrich band ihm die Hände auf den Rücken.

Er führte ihn fort aus dem Saal, die Stiege hinab, über den Hofplatz, wo der gelbe Sand in der Sonne leuchtete. Die Hunnenkrieger, die Wache hielten, ließen sie schweigend vorübergehen. Sie wagten nicht einmal, den Gefangenen zu schmähen, obwohl sie ihn haßten wie den Teufel: Denn insgeheim hatten sie selbst jetzt noch Angst vor ihm.

So gingen sie nach Kriemhilds Kemenate.

Gunther sah ihnen nach. Nun hätte er gehen können. Fort, hinaus aus diesem Saal, ins Freie, wo die Hunnen standen. Aber warum sollte er? Es war ganz gleich, was er noch tat. So blieb er und wartete. –

Über Kriemhilds Gesicht flog eine wilde Freude, als Dietrich mit seinem Gefangenen bei ihr eintrat. Sie drückte die Hände vor die Brust, denn sie meinte, das Herz müßte ihr bersten. Ihre Augen zogen sich zu schmalen Schlitzen zusammen, als sie Hagen betrachtete.

»Sie sieht aus, als ob sie nicht bei Sinnen wäre«, dachte Dietrich schaudernd.

»Ich danke dir, Herr Dietrich!« stieß sie hervor und streckte ihm die Hand entgegen.

Aber er ergriff sie nicht. Er trat vor seinen Gefangenen hin und sah Kriemhild ernst an.

»Ich will deinen Dank nicht, Königin, denn ich habe es nicht deinetwegen getan. Aber ich habe Hagen und deinem Bruder Gunther versprochen, sie deiner und Etzels Gnade zu empfehlen. Das tue ich, Königin«, sprach er eindringlich. »Ich bitte dich, denke daran und mache mich nicht zum Lügner!«

Ihre Augen wichen ihm aus. »Ja, ja«, sprach sie abwesend, während sie schon zur Tür schritt, um ihre Palastwache zu rufen.

»Bringt ihn in den Kerker und kettet ihn an!« befahl sie.

Sie führten Hagen fort, ohne daß er ein Wort gesprochen oder auch nur jemanden angesehen hatte.

Langsam ging Dietrich zum Saale zurück: Er hätte viel darum gegeben, hätte er sich und dem König der Burgunden dieses letzte ersparen können. Aber es sollte wohl ihnen allen nichts erspart bleiben.

Gunther sprang auf, als er eintrat, und griff nach Schwert und Schild.

Dietrich blieb an der Tür stehen. Er hatte nicht einmal sein Schwert gezogen.

»Ergib dich, König Gunther!« sagte er, fast wie eine Bitte.

Statt einer Antwort stürmte Gunther vor. Noch einmal flammte der Mut des tapferen Geschlechtes auf, dem er entstammte.

Aber sein Schicksal war schon besiegelt, ehe der Kampf begann. –

Kriemhild beachtete ihren Bruder kaum, als er gefesselt vor ihr stand. Sie befahl, ihn getrennt von Hagen in ein Verlies zu werfen.

Sie sprach auch mit Dietrich nicht mehr: Es schien, als

wären ihre Gedanken weit fort. Da legte Dietrich das Schwert Balmung, das er aus dem Saal mitgenommen hatte, auf ein Kissen an der Wand und ging. Er wollte Etzel suchen, um für die Burgunden zu bitten.

Als sie allein war, kauerte sich Kriemhild in ihrem Sessel zusammen und dachte nach. Ihr Gesicht hatte einen sonderbaren, verwirrten Ausdruck.

Was sollte nun geschehen?

Hagen war in ihrer Hand. Sie hätte sich also doch freuen sollen. Aber ihre ganze Freude war fort. Sie fühlte plötzlich, daß sie Angst hatte, gräßliche Angst vor irgend etwas ... vielleicht vor der entsetzlichen Einsamkeit, die sie umgab wie eine sternenlose, tiefe Nacht. Sie waren ja alle tot, die je zu ihr gehört hatten! Etzel? Sie hatte ihn fast vergessen, als wäre er vor langer Zeit einmal dagewesen und wieder fortgegangen, heim nach den Steppen Asiens.

Noch lebte Hagen. Sie würde ihn töten lassen. Aber dann? Was würde darum anders werden? Siegfried würde nie wiederkommen, auch nicht ihr kleiner Sohn Ortlieb oder Giselher – nein, niemand mehr. Niemand.

Sie fuhr auf. Herrgott im Himmel, war ihr denn gar nichts mehr geblieben?

In diesem Augenblick dachte sie an den Nibelungenhort. Ja, der war noch da. Wenn er auch in der Tiefe des Rheines lag. Es war nicht viel, nur totes, kaltes Gold. Aber sie war so arm geworden, daß sie sich dennoch daran klammerte. Es war wenigstens etwas, woran man ohne Grauen denken konnte.

Sie rief die Wache und befahl, Hagen zu ihr zu bringen.

»Du könntest vielleicht dein Leben retten«, redete sie ihn an, als er vor ihr stand. »Sage mir, wo du den Nibelungenhort verborgen hast, so will ich Gnade walten lassen.«

Nun sah er sie zum erstenmal an, und sein Auge funkelte vor Hohn. »Was plagst du dich mit Lügen? Du plagst dich umsonst! Die Burgundenkönige und ich haben ge-

schworen, daß keiner den Ort verraten wird, solange
noch einer von den anderen lebt!«

Kriemhild hob die Hände an die Schläfen. Oh – nun
stieg er wieder in ihr auf, dieser entsetzliche, glühende
Zorn, der ihr so Angst machte! Bis in den Kopf stieg er,
bis in die Augen, wie ein roter Nebel.

Sie gab einen Befehl.

Einer der Hunnenwächter verschwand lautlos.

Er ging hinab in den Kerker, wo der Burgundenkönig
gefangen lag, und schlug ihm das Haupt ab: denn das
hatte die Königin befohlen. Sie hatte auch befohlen, das
Haupt heraufzutragen in die Kemenate.

Hagen biß die Zähne knirschend aufeinander, als er es
sah. »So«, sagte er nach einer Weile heiser, »nun sind sie
alle tot! Und von mir wirst du niemals erfahren, wo der
Nibelungenhort ist.«

Sie gab keine Antwort. Ihr Blick war auf das Schwert
gefallen, das auf dem Kissen aus roter Seide lag. Langsam, mit sonderbar steifen Schritten ging sie darauf zu.

Es war, als ziehe sie etwas.

Sie sah nicht, wie Etzel mit Dietrich und Hildebrand
eintrat.

Sie ergriff die Waffe und starrte darauf nieder.

Dann wandte sie sich um.

Hagen zuckte nicht zurück, als die blassen Hände das
Schwert mit dem Knauf aus grünem Jaspis hoben.

Er wußte, seine Zeit war aus und sein Maß voll. So war
es in Ordnung, daß er starb.

Hildebrand aber vermochte dieses Ende des gewaltigen
Recken nicht zu ertragen.

»Es ist wider die Natur, wenn Frauen töten«, sprach er
für sich. »Darum kann es nicht ungesühnt bleiben.«

Sein Gesicht war voll Gram, als er das Schwert zog.

Er erschlug Kriemhild nicht im Zorn. Es war, als müßte
er es tun, damit eine Waage nach allen Schwankungen
wieder in ihr Gleichgewicht zurückkehre.

Etzel und Dietrich hatten es nicht hindern können.

Als Dietrich neben die Königin hinkniete, schloß sie die Augen wie müde. Und er sah mit Staunen, wie sich ein Friede über dieses Gesicht breitete, den es im Leben nie gekannt hatte. Alle Wildheit, Schmerz und Haß waren ausgelöscht.

Denn nun war es so, wie es sein mußte, nach allem, was geschehen war.

AUGUSTE LECHNER

Ilias – Der Untergang Trojas.
Die Abenteuer des Odysseus
Aeneas – Sohn der Göttin.
Herkules –
Die 12 Abenteuer des berühmtesten Helden der Antike.
Die Sage vom Goldenen Vlies –
Die Sage von Jason und Medea und den Abenteuern der Argo-
nauten, die auszogen, um das berühmte Widderfell zu erbeuten.
Don Quijote –
Die Abenteuer des spanischen Ritters Cervantes.
Arena-Taschengeldbücher –
Bände 1369, 1370, 1371, 1500, 1641, 1529. Ab 12

Arena

AUGUSTE LECHNER

Die Nibelungen –
Glanzzeit und Untergang dieses mächtigen Volkes.
Dietrich von Bern –
Der große König der Goten kämpft um sein Reich.
Parzival – Auf der Suche nach der Gralsburg.
Die Rolandsage –
Er kämpft für seinen Onkel, Karl den Großen, bis zum Ende.
Der Reiter auf dem schwarzen Hengst –
Ein Ritter zur Zeit Karls des Großen.
Gudrun – Die Geschichten vom wilden Hagen.
Arena-Taschengeldbücher –
Bände 1319, 1346, 1353, 1470, 1429, 1455. Ab 12

Arena

SPANNUNG & ABENTEUER

Für Sammler:
die großen Abenteuerromane der Weltliteratur

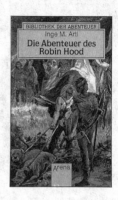

Arena

SPANNUNG & ABENTEUER

Für Sammler:
die großen Abenteuerromane der Weltliteratur

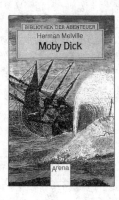

Arena

SPANNUNG & ABENTEUER

Für Sammler:
die großen Abenteuerromane der Weltliteratur

Für Abenteuerfans ab 12

Arena